はやみね かおる
KAORU HAYAMINE

令夢（れむ）の世界はスリップする
REMU'S WORLD SLIPS

赤い夢へようこそ
—前奏曲—

講談社

令夢の世界はスリップする

赤い夢へようこそ

——前奏曲——

目次

CONTENTS

主な登場人物

谷屋令夢……中学二年生。自称「普通の女の子」。ちがう世界に移動する能力を持っている。

内藤内人……令夢の幼なじみ。平凡人の代表のように見えて、じつは無敵のサバイバー。

竜王創也……学校創設以来の秀才といわれる、内人の同級生。竜王グループの御曹司。

二階堂卓也……竜王グループの社員で、創也のお目付役兼ボディガード。

クイーン……超弩級巨大飛行船トルバドゥール号で世界中に出没する、謎の怪盗。

ジョーカー……無表情で冷静沈着な、クイーンの仕事上のパートナー。

RD……トルバドゥール号のシステムを司る、世界最高の人工知能。

夢水清志郎……大食いで常識ゼロの名探偵。昔、大学で論理学の教授をしていた。

岩崎亜衣……三つ子の岩崎三姉妹の長女。虹北学園で文芸部に所属している。

岩崎真衣……三つ子の次女で、運動神経抜群。

岩崎美衣……三つ子の末っ子で、甘えん坊。

野村響子……高校二年生。家は虹北商店街にあるケーキ屋さん。

虹北恭助……古書店『虹北堂』の主人。一目で謎を見抜く能力を持っている。

装丁　大岡喜直（next door design）
装画・目次イラスト　緒賀岳志

OPENING　谷屋令夢が目を覚ます

「令夢！　いつまで寝てんの！　まだ夏休みに入ってないのよ！　気を抜いてたらダメでしょ！」

その声に、わたしは飛び起きる。枕元の目覚まし時計を捜すが、見当たらない。

——どうして……？

信じられない思い。

——ひょっとして、まだ夢を見てるの？

そんなことを考えていたら、

「早く、朝ご飯食べなさい！」

お母さんの声が、夢じゃないかという疑問を吹き飛ばす。

ベッドから抜け出し、おそるおそる階下の台所へ。そっとのぞきこむと、エプロンを着けたお母さんの背中が見える。

——お母さん……。

わたしは、声をかけることができない。

振り返って居間を見る。チェストボードの上の写真立て。それには、三年前に事故で亡くなったお母さんの写真が入っている。その写真に向かって「いってきます」と言うのが、わたしの毎朝の日課だ。

でも、今——。

サイドボードはあるが、お母さんの写真はない。

足が震える。現実を受け止めようと、わたしは大きく息を吸う。

すると、お母さんが振り返った。記憶の中のお母さんより、少しだけ皺と体重が増えてるように見える。

「いつまでパジャマを着てんの！　早く着替えて、ご飯を食べなさい」

右手にお玉、左手に味噌汁の椀を持ったお母さん。口調は厳しいんだけど、口元が笑ってる。

お母さんが生きている！

この現実に、気持ちを抑えることができない。

「お母さん！」

思わず飛びつくわたし。お母さんの手から、味噌汁の椀が宙に飛ぶ。そしてわたしは、頭の上から味噌汁をかぶった。


ぬるめのシャワーが、味噌汁を洗い流してくれる。

「まったく……。考えなしで動くんだから。火傷しなかった？」

バスルームのドア越しに、お母さんが言った。

「うん、大丈夫」

火傷より、胸のドキドキのほうが心配。

気持ちを静めるためと、夢じゃないことを確認するために、わたしは現実を整理する。

まず、わたしの名前は谷屋令夢。中学二年生の女の子。

身長も体重も成績も容姿も――何もかもが普通で、あまり印象に残らないわたしだけど、たった一つほかの誰にもない能力を持っている。

それが、スリップ。

今、わたしは、お母さんが事故にあわなかった世界にスリップしている。

わたしがスリップを初めて体験したのは、今年の春だ。

会社から帰ってきたお父さんが、いつも飲むビールを飲まなかった。

「お父さん、ビール飲まないの？」

わたしが言うと、お父さんが首をひねる。

「父さん、ビール飲んだことあったか？」

あれ？

わたしは、冷蔵庫を見る。今まで、ぎっしり入っていた缶ビールが、一本もない。空き缶入れを見る。こっちにも、ビールの空き缶は入っていない。

いろいろおかしいと思ったが、お父さんがビールを飲まないのは、健康的にも家計的にも大歓迎だ。

なのに、次の日——。

会社から帰ってきたお父さんは、冷蔵庫からビールを出すと、普通に飲み始めた。

あれ？

冷蔵庫に、ビールが戻っている。空き缶入れも、飲み終えたビール缶であふれている。

「お父さん……また飲むようになったの？」

わたしの質問に、お父さんは不思議な顔をした。

「何言ってんだ？　毎日、飲んでるぞ」

「…………」

――まぁ、かんちがいってこともあるか。

そのときは、無理に納得した。

でも、しばらくして、楽しみにしていたプリンがなくなっていたり、髪を切った翌日に元の長さに戻っていたとき――理解した。

わたし、ちがう世界に移動しているんだ……。

小学生のとき、図書室で読んだ本に、世界は可能性に満ちているって書いてあった。わたしもよくわからないけど、世界は、時間の流れとともにどんどん生まれていってるらしいの。

たとえば目玉焼き。いつも醤油をかけるけど、たまたま醤油が切れていたら、どうするか？

そのまま食べるか、ソースをかけるかで、別の世界が生まれる。マヨネーズをかける世界もあるだろうし、醤油を買いに行くという世界も生まれる。

何を選ぶかで、いろんな世界が生まれる可能性がある。

醤油かソースぐらいだったら、世界のちがいは少ない。でも、たとえば、電球を発明したエジソンが生まれなかったら――、ライト兄弟が空を飛びたいと思わなかったら――。

その世界は、わたしがいるこの世界と、大きくちがってくる。

幸いなことに、今までスリップしたのは、お父さんがビールを飲まなかったり、わたしが髪を切らなかったりと、ちがいの少ない世界だ。

だからスリップしても、そんなに困ることなく、わたしは生活できる。

スリップについて、これまでの経験でわかったことをまとめると、次のようになる。
・スリップするようになった原因はわからない。
なぜ、わたしがスリップするようになったのか?

テストのときより真剣に考えても、わからない。

みょうな呪いにかかった覚えもないし、何かの封印を解いたわけでもない。完全に、原因不明だ。

そして、それとなく友達に聞いたりしたのだが、わたしのようにスリップしてる子はいない。
・いつスリップするかはわからない。何かおかしな夢を見て目覚めると、スリップしているときがある。
どんな夢だったか、思い出そうとするんだけど、無理。あるのは、「とても奇妙な夢だった」

という微かな記憶だけ。

・自分の意思ではスリップできない。

何度も、スリップしようと思って眠ってみた。でも、どれだけがんばってもできなかった。それは、まるでゲームの駒になった気分。

いくら望んでも、プレイヤーがサイコロを振るまで、駒は思うように動けない。そんな感じだ。

・スリップした世界から、いつ戻れるかはわからない。

今まで短いときで一日、長いときは一週間ほどで元の世界に戻ってきた。

戻るときは、突然やってくる。道を歩いているときやゲームをしてるとき、授業中でも——。

軽いめまいがすると思ったら、不意に元の世界に戻っている。

・何かを成しとげるか解決するかしたら、戻れるときがある。

以前、数学の小テストで、ものすごく悪い点を取った直後の世界にスリップした。とてもショックを受けたわたしは二日間猛勉強した。その結果、次の小テストで平均点を取ることができた。すると、元の世界に戻ってきていた。

・世界は移動するが、時間は移動しない。

たとえば、元の世界が月曜日だったら、スリップした先の世界も月曜日だ。タイムマシンに乗ったように、未来や過去の世界に行ったりはしない。

そして、スリップした先の世界で一週間過ごしたら、元の世界に戻ったときも一週間経っている。

ただ、時間に関しては、いいかげんなところもある。

たとえば、この間スリップした世界では、隣の家の保育園児が小学生になっていた。また、先輩が同級生になっていたときもあった。

・スリップした先の世界にいたわたしについては……わからない。

スリップした先の世界でも、わたしは生活していたはずだ。でも、わたしは、もう一人のわたしに会ったことがない。

一つの世界に、同じ人間が二人いたら、それはおかしい。

つまり、わたしがスリップすると同時に、その世界にいたわたしも、ちがう世界にスリップしたんだと思う。確証はないけど――。

スリップしたわたしは元気にやってるのだろうかと、心配する必要はない。

たぶん、大丈夫だ。

何もかも平均値のわたしだけど、環境適応能力だけは、人並み外れていると思う。かなり過酷な環境でも、死なない自信がある。

だから、どの世界のわたしも、たくましく生きているはずだ。確証はないけど——。

・スリップする先の世界を選ぶことができない。

わたしは、交通事故で、突然お母さんを奪われた。朝、「いってきます」と言ったのが、最後の会話になった。

望んだ世界にスリップできるのなら、わたしは、お母さんが事故にあわなかった世界を希望する。そして、もっともっといっしょに買い物したり料理したり口げんかしたり——とにかく、いっしょにいる時間を過ごしたかった。

だから、いつも心の中で、お母さんが生きている世界にスリップしたいと願っていた。

それが今、ようやく希望がかなった。

やっと……やっと……やっと……。

わたしのほおを、水滴が伝う。

「…………」

シャワーを止めて、大きく息を吸う。

うう……ダメだ！

現実を整理して気持ちを落ち着けようと思っていたのに、また心臓がバクバクしてきた。

うん、この世界、最高！

「ひゃっほぅ！」

わたしは、犬のように頭を振り、水滴を弾き飛ばした。


アイロンのかかった制服を着て、朝ご飯が並んだテーブルに着く。皺のない制服を着るのは、久しぶりだ。

「ほら、早く食べてしまいなさい。終業式に遅れるでしょ」

お母さんが、わたしの前に目玉焼きの皿を置く。

味も香りも、お母さんが作ってくれていた目玉焼きだ。わたしが作った半焦げのものや、お父さんが作った涙目のものとは、全然ちがう。

「お父さんは？」

わたしがきくと、お母さんはため息をつく。

「とっくに会社に行ったわ」

「ビックリしてなかった？」

「え？」

きょとんとした顔が返ってくる。

わたしは、口を押さえる。ビックリするわけがない。だって、この世界では、お母さんは事故にあってないんだもん。

お母さんを見ながら、わたしはワクワクしている。

――何を話そう。話したいことが多すぎて、頭の中がゴチャゴチャだわ。

「あのさ、お母さん。今日、学校休んでもいい？」

とにかく、今はいっしょにいたい。三年分の話をしたい。

なのに、お母さんの表情が変わる。わたしは、深夜映画で見た『大魔神』を思い出す。大魔神は、いつもは優しい顔をしてるんだけど、怒るとすさまじい顔になる。

――ＣＧ合成してないのに、すごい変わりようだ……。

「終業式の日に、そんなこと言うなんて……成績表をもらうのが、そんなに怖いの？」

「えっ？」

お母さん、完全にかんちがいしている――というか、いっしょにいたいというわたしの気持ちなんか想像できるわけないし――。

何か言おうとする前に、ますます大魔神の顔が怖くなる。

――避難しないと、命が危険！

わかりました！　学校に行きます！　だから、怒りをお鎮めください！

超スピードで朝食をほおばり、手を合わせる。

「ふぉひふぉうふぁふぁふぇふぃふぁ！」

STAGE01　幼なじみと、謎のイケメンは御曹司

食べ終えた食器を手早く洗い、食器乾燥機へ入れる。その様子を、お母さんは不思議そうに見ている。

「……どうしたの？　食器を洗うなんて？」

「え？　いつもやってるけど――」

説明しかけた言葉をのみこむ。お母さんが亡くなってから、朝食のかたづけは、わたしの仕事になっている。いつもの癖で洗っちゃったけど、この世界のお母さんから見たら、急にお手伝いを始めたわたしは、宇宙人に見えるのだろう。

「熱でもあるの？　やっぱり、学校休む？」

心配そうなお母さん。

休めるのは大歓迎なんだけど、ここで休むとなんだかややこしいことになるような予感。

「大丈夫だって！　ほら、わたしも中学二年生でしょ。自分が使った食器ぐらい洗えなくちゃ

ね」

早口で言って、カバンを持つ。

どうして、わたしが食器を洗うのか――スリップのことを話しても、お母さんは信じてくれないだろう。それどころか、病院に連れていかれるかもしれない。

せっかく、お母さんが生きてる世界にスリップしたんだ。むだな時間を使いたくない。それよりは、学校が終わったら、すぐに戻(もど)っていっしょにいるほうがいい。

「いってきます！」

元気よく言って、外に出る。

ギラギラした太陽が、街をあぶっている。

いつもなら、ゲッソリするような暑さも、今は平気だ。わたしは、元気に満ちあふれている。

――太陽なんかに、負けるもんか！

スキップするような足取りで歩いていたら、

「なんで、そんなに元気なんだ？　こんなに暑いのに……」

郵便ポストの陰(かげ)から話しかけられた。よく見ると、男の子がしゃがみこんでいる。わたしは、男の子の腕(うで)を引っ張る。

「内人だって、暑いほうが好きって言ってたじゃない。ほら、学校行くよ」

男の子——内藤内人は、深いため息をついた。

「ぼくが好きなのは、山にいるときの暑い日。これから学校に行かなきゃいけないかと思うと、暑さが倍増するんだ」

情けない泣き言を言う。

内人は、近所に住む幼なじみ。わたしと似ていて、平均的な身長体重、容姿に成績。どこにでもいる普通の中学二年生だ。

中学生になって、小さいころみたいに、男の子と話しにくくなった。でも、内人は別。意識せずに話ができる、貴重な男子だ。

わたしは、横目で内人を観察する。

この世界は、お母さんが事故にあわなかった世界。内人も、前の世界とちがうところがあるのかもしれない。

試しにきいてみる。

「今日、成績表もらうでしょ。内人は、どんな感じ?」

「たぶん、今までと同じだよ」

安心した。内人は、前の世界と同じ。平凡の国から平凡を広めに来た、平凡男だ。

「令夢は、平均点取ってたら、怒られないんだろ。でも、うちは、母さんがうるさいからな。今日帰ったら、塾の夏期講習案内パンフレットが待ち構えてるはずだ」

うんざりした声の内人。

「わたしも似たようなものよ。一教科でも、平均を超えろって、うるさいわ——」

でも今は、そのうるさいのが、少しうれしい。

「そういや、朝のニュース見た?」

内人にきかれて、わたしは首を横に振る。朝に見るのは、ニュースの代わりに情報バラエティ。まぁ、今朝は、見てる暇なかったけどね。

「クイーンだよ、怪盗クイーン。日本へ向かってるっていう情報があったんだって」

はぁ?

「内人……今、なんて言ったの?」

「だから、クイーンが日本へ向かってるって——」

「いや、だから、そのクイーンって何者? 〝怪盗〟ってついてたような気がするけど……」

今度は、内人が「はぁ?」という顔をした。

「何言ってんだよ。クイーンは怪盗に決まってるじゃないか」

——怪盗？　あらゆる場所に防犯カメラが設置され、人目につかずに行動するのが難しい現代に、怪盗？

絶滅したニホンオオカミに、お手をされた気分になる。

でも、これ以上、怪盗について触れるのはやめよう。この世界には、怪盗というものが存在する——それを受け入れないとね。

また、内人がため息をつく。

「クイーンはいいよな。超弩級巨大飛行船に乗って、世界のどこにでも行けてさ——。自由に生きてるんだからな。ぼくも、クイーンみたいに自由に生きたいよ。そして、好きなだけ小説を書くんだ」

——小説？

わたしは、驚いて内人を見る。

「小説って……内人、小説書いてるの？」

すると、「いまさら何言ってんだ？」という目を向けてきた。そうか、この世界の内人は、趣味で小説を書いてるのか。そして、そのことを、この世界のわたしは知っている。

――それにしても、〝平凡の国から平凡を広めに来た、平凡男〟の内人が、小説をね……。

なんだか、内人が眩しく見える。うん、ちょっと評価を上げてやらないとね。

「成績が悪かったら、書きかけの原稿、取り上げられるんだろうな……」

暗い声の内人。

それに対して、わたしは明るい調子で言う。

「いくら取り上げられても、頭の中には、小説のストーリーが残ってるんでしょ。また、書いたらいいじゃない」

「……うん、そうだな。ぼくの頭の中にあるものまでは、取り上げられないもんな」

歩きながら、内人は、書きかけの小説についていろいろ話してくれる。

主人公は、大飯食らいでドジっ娘の女子高生。この女子高生には不思議な能力があって、彼女の行動や、まわりで起きたことが、世界の出来事とシンクロしている。

「シンクロ？」

わたしが質問すると、うれしそうに説明を始める。

「たとえばね、その女子高生が財布を拾うんだ。すると、世界のどこかで財宝を積んだ難破船が見つかるんだ。これが、シンクロ――」

「ふ〜ん」

この反応に、内人はガッカリした声を出す。

だって、どっかで読んだようなストーリー展開で、キャラにも新鮮味がない話。素人の中学生が、趣味で書いてるだけなんだからいいんだけどね……。

あまり読みたいとは思わないな。

「それって、賞にでも送るの？」

「うん。夏休みの終わりが締め切りなんだ」

「…………」

わたしは、生暖かい視線を内人に送る。

それに気づかない内人が、わたしを見る。

「何か、アドバイスない？」

「そうね……」

わたしは、腕を組んで考える。

「やっぱり、最初がたいせつなんじゃない？　書き出しがおもしろくなかったら、続きを読みたくないもん」

「なるほど」

手帳を出して、わたしの言葉をメモする内人。こういう素直なところは、こちらの世界でも同じだ。

「でも、簡単に〝最初をおもしろく〟って言うけど、いざ書くとなると、難しいよね」

内人も、腕を組んだ。

二人で、小説の出だしを考えながら歩いていると、あっという間に学校に着いた。すると、なんだかにぎやかだ。

まだカバンを持ったままの生徒たちが、昇降口に向かわず、校舎の外でワヤワヤしている。そんな生徒を落ち着かせようと、先生たちが「早く校舎へ入れ」とどなっている。

一学期が終わるという興奮状態？　この暑いのに、学校へ来なければいけないという不満？

――いや、そんな雰囲気じゃない。

どちらかというと、幽霊が現れたというような雰囲気に近いかな……。ドキドキするし怖いんだけど、指の隙間から様子を見たいって感じ。

「こういうの、いいんじゃない？　朝、学校へ行ってみると、みんながザワザワしてるの。読者は『何があったんだろう？』って興味を持つだろうし、書くほうも、いろんな展開が考えられるでしょ?」

わたしが言うと、内人があわてて手帳にメモする。

「でも、実際、何が起きたんだろう?」

手帳をかたづけ、内人が近くにいた生徒にきく。

「あれだよ、あれ」

生徒が、校舎のほうを指さす。昇降口のわきの壁に、チョークで大小さまざまな落書きがされている。

てるてる坊主らしきものや、サルか鳥かわからない動物、そんな絵に交じって、『生徒会は解散しろ!』とか『予算上げろ!』などの文字がポップな字体で書かれている。

――なんなの、これ?

首をひねってるわたしの横で、内人がため息をつく。

「あ~あ、クラブ連合のやつら、とうとうやっちゃったか……」

「…………」

「芝原さんも、みんなを止められなかったのかな? いっしょに落書きしたとは考えられないけど、止めなかった可能性はあるな」

わたしは、内人にきく。

「芝原さんって、サッカー部キャプテンの？」

「ああ。芝原さんは、クラブ連合の代表もやってるだろ。最近、活動予算の件で、生徒会ともめてたからな」

聞いているわたしは、理解できない。

「でも、芝原さんって、生徒会会計の田添さんとつきあってるんじゃない。そんな芝原さんが、生徒会ともめるようなことするかな？」

すると、今度は内人が首をひねる。

「寝ぼけてんのか？　芝原さんと田添さんがつきあってる？　あの二人の仲は、クラブ連合と生徒会の対立そのものだぜ」

そうなのか……。

わたしは、前の世界とのちがいに驚く。

――この調子だと、ほかにもたくさんズレてることがありそうね。気をつけて話さないと、内人に怪しまれるわ……。

そんなことを考えていると、みんなの声が聞こえてくる。

「こんな落書きまでしたら、生徒会も黙っちゃいないだろ」

「でも、生徒会が活動費アップの要求に応じないから、仕方ないんじゃない」

「そりゃサッカー部はがんばってるけど、中には、ろくに練習しないのに予算くれってクラブもあるしな」

「どうなるのかな？」

「しばらくグチャグチャするんじゃない？」

なるほど。

今の状況が、わかってきた。

そのとき、右手のほうからザワザワ声がした。

「おい、生徒会が来たぞ！」

「会長に副会長、会計に書記。――生徒会本部のやつらだ！」

続いて、左手からもザワザワ声。

「こっちからは、クラブ連合だ！」

「先頭は、サッカー部の芝原だぞ！」

おお、なんだかすごいことになってきたんじゃないか？　まちがってるかもしれないけど、

『源平合戦』という言葉が頭に浮かんだ。

みんなの期待が高まる中、

「ほらほら、早く教室へ入って――。その後は、終業式だからな」

パンパンと手を叩き、先生が、わたしたちを校舎内に追い立てる。

チッ、いいところだったのに……。

ブツブツ言いながら、みんなといっしょに昇降口へ向かう。落書きの横を通るとき――。

あれ？

わたしは、落書きの中にみょうな文字を見つけた。

ASP3

ほかの落書きに比べて、小さく目立たない。一つの文字の大きさは、三センチ四方ぐらい。

チョークでなく、黒ペンか鉛筆で書かれている。

目立たないけど、はっきり『ＡＳＰ３』と読める。

ほかの人たちは、この落書きに気づいていない。気づいても、チラリと見るぐらい。わたしのように、立ち止まるような人はいない。

「おい、令夢。早く行けよ」

わたしの背中を、内人が押す。

「これ見てよ」

内人に、『ASP3』を指し示す。すると、彼も「なんだ、これ?」という顔で、落書きを見る。うん、こいつは、わたしと同じ人種だ。

教室へ歩きながら、校舎内を見る。落書きがある以外、昨日とちがうところはないように見える。つまり、この世界は、元の世界とそれほどかけ離れてはいないということだ。

教室では、みんなが落書きについて、いろいろ話をしている。『ASP3』に気づいてる人は、いないみたい。わたしは、内人にきく。

「あれって、何か意味あるのかな?」

「う〜ん……」

頭をかく内人。

「こういうときは、あいつにきくのがいちばん早いんだけどな」

内人が、誰も座っていない、窓際のいちばん後ろの机を指さす。

昨日の教室を思い出す。窓際の列は、机が五つだった。なのに、今日は六つめの机が出現している。つまり、そこは、前の世界にはいなかった生徒の机ということになる。

いったい、どんな生徒なのか？

気になったけど、きくわけにいかない。わたしは、内人の話から情報を得ることにする。

「まだ、図書室で本を読んでるのかな？　そろそろ朝のSHRが始まんのに」

SHRの前に、図書室で本を読む？　なんなの、その頭脳優秀アピール。

「もっとも、あいつが朝から教室にいると、女子がキャアキャアうるさいからな。図書室に逃げこむのもわかるけどな」

何、そのイケメン設定。

「この調子だと、終業式が終わるまで現れないな。まぁ、あいつだからいいか」

いいの？

「でも、終業式に出なかったら、先生に怒られるんじゃない？」

「何言ってんだよ。創也だぜ。終業式に出なかったぐらいで怒られるはずないだろ」

創也――。それが、あの席の人の名前。

それにしても、終業式をサボっても怒られないって、いったい何様？（頭の中で、「創也様！」という女子連中の声が聞こえた）

頭脳優秀でイケメンで何様……。いったい、どんな生徒なんだろう？

そんなことを考えていたら、あっという間に終業式は終わった。残念なことに、校長先生のお話は、少しも頭に入ってこなかった。

あっ、これはいつものことか。


終業式が終わって大掃除をし、（ほしくない）成績表をもらったのが午前十時。

「元気に二学期も来てくれることを、先生は期待してるから！　くれぐれも騒ぎを起こすなよ！」

担任の先生の悲痛な言葉で、一学期が終わった。

そのままクラブの練習に行く人や、「夏休みだ〜！」と解放感で表情が緩んでる人。そんな中で、わたしと内人は図書室へ。

教室より図書室のほうが、快適に冷房が効いている。

司書の宮崎先生に軽く頭を下げ、わたしたちは図書室の奥に進む。

窓際のいす。傍らに数冊の本を積み上げ、一人の男子生徒が本を読んでいた。ワインレッドのフレームの眼鏡、サラサラの黒髪。長い足を組み、片手で本を持つ姿は、美しい彫像のようだった。

――この人が、創也……。

頭がいいうえにイケメンという設定は、目の前の光景で、ものすごく理解できた。

となると、不思議なことがある。

――どうして、こんな上級生徒と、普通の中でも超普通生徒の内人がつながってるの？

そんなわたしの疑問にかまわず、内人が創也君に声をかける。

「おまえ、昇降口の落書きを見たか？」

その声に、創也君が本を閉じ、わたしたちに目を向ける。

「なんの話だい？」

「ちょっとは世間に関心を持てよ」

ため息をついた内人が、創也君の前の席に座る。そして、朝からの落書き騒動を説明した。

「で、その落書きの中に、『ＡＳＰ３』って書かれてたんだ。もっとも、見つけたのは、ぼくじゃなくて令夢だけど」

内人に言われて、創也君が、わたしのほうへ顔を向ける。すべてを見透かされてしまいそうな目が、眼鏡の奥から、わたしを観察している。

わたしは、「はじめまして」という言葉をのみこみ、テヘヘと笑う。

創也君の口が開く。

「『ASP3』だけど、『ASP』といえば、『Application Service Provider』のことだね」

みごとな発音だ。

「なるほど、『あぷりけぇしょんさーびすぷろゔぁいだぁ』のことか」

内人が、みょうな発音で繰り返す。

「で、どういう意味なんだ？」

「ネットワークを通じて、アプリケーションのサービスをするプロバイダのことだよ」

創也君が説明してくれるけど、聞いてるわたしも内人も理解できないから、説明になってない。

「安心したまえ。理解できなくても、この落書きには関係ないだろうから」

だったら、難しいことを言わないでほしい。

内人を見ると、いつものことだという感じで、平然としている。

創也君は、いすから立ち上がると、勝手に話しながら歩き始める。

「だいたい、わが校は、スマホなどのモバイル機器の持ちこみは禁止になっている。その状況で、アプリケーションに関する落書きをすることに意味があるだろうか？　関係ないと考えるのが妥当だ」

スマホ持ちこみ禁止の校則は、前の世界でもそうだった。スマホがあれば、放課後の連絡なんか簡単にできるのにと、みんな不便に感じている。

内人が口をはさむ。

「理屈はいい。結局、『ASP3』ってのは、どういう意味なんだ?」

創也君の動きが止まる。そして、わたしたちをビシッと指さす。

「どんな優秀なコンピュータも、データを与えないと答えが出ない!」

「つまり、今の段階では、データが足りないからわからないということだな」

「言い換えれば、そうなる」

胸を張る創也君。どうして、ここまで自信あふれる態度を取れるんだろうか? じつにたいしたものだ。

「しかし、心配することはない。これから、データを集めればいいんだ。大丈夫、竜王創也の名にかけて、落書きの謎を解いてみせよう」

——竜王!

驚いたわたしは声が出そうになり、あわてて口を手で押さえる。

「どうかしたのかい、令夢君？」

創也君が、試すような目で、わたしを見る。

わたしは、驚きを顔に出さないように必死だ。

「ううん、なんでもない」

首を横に振りながら、わたしは考える。

——〝竜王〟って、竜王グループ……？　ひょっとして、創也君って、竜王グループの関係者……っていうか、年齢から考えて御曹司？

頭の中で、『アナログからデジタルまで、生活をサポートする竜王グループ』というキャッチフレーズが、ぐるぐるする。

そして、内人と創也につながりがあるってことが、ますます不思議に思えてくる。

「では、今から昇降口に落書きを見に行こうか」

数冊の本をカバンに入れ、創也君が言った。

STAGE02　落書きと、幼なじみは無敵のサバイバー？

静かになった校舎。

聞こえてくるのは、吹奏楽部が練習する楽器の音や、陸上部のスターターの音。

廊下の窓からは、巨大な入道雲が見える。深呼吸すると、胸を焦がすような熱い空気が入ってくる。

うん、夏休みだ！

ワクワクしてると、先を行く内人が振り返り、せかしてくる。

「令夢、早く来いよ」

わたしは、あわてて内人と創也君の後を追う。

昇降口では、生徒会の四人とクラブ連合の主だったメンバー四人が、壁の落書きを消していた。

そばでは、生徒指導の先生が腕を組んで見守って（見張って？）いる。

デッキブラシで落書きをこすり、ホースの水をかける。その繰り返し。でも、暑い中、水を使った作業は楽しそうに見える。

チョークで書かれた落書きは、わりと簡単に消えていく。

「もう、消されちゃったかな？」

創也君がつぶやく。

「その『ASP3』って落書きは、どこに書かれてるんだい？」

わたしが指さしたほうでは、芝原さんが手に持ったタワシで壁をこすっている。かなり薄くなってるけど、まだ『ASP3』と読むことができる。

口を真一文字に結び、手を動かす芝原さん。

わたしたちが背後から見てるのに気づいた芝原さんが、声をかけてくる。

「どうした、竜王？　こんな落書き見てて、おもしろいのか？」

「はい、とても興味深いです」

「でも、奇妙な落書きだろ。おまえ、この落書きの意味がわかるのか？」

「少し考えれば――」

「…………」

創也君が答えると、芝原さんは、わたしたちから視線をそらした。そして、黙って落書きをこする。

落書きが、だんだん薄くなり、見えなくなっていく。

内人は、ジッと芝原さんの手元を見ている。

すると、

「まったく……。なんで、生徒会が落書きを消さなきゃいけないのよ」

ブツブツ言う声が聞こえてきた。すぐ近くに、生徒会会計の田添さんがいる。小柄な体で、デッキブラシを持って壁に向かっている姿は、みょうに勇ましい。

「書いたのはクラブ連合なんだから、わたしたちまで巻きこまないでほしいわ」

「クラブ連合が書いたという証拠はない。書いたとしても、感情のコントロールができない一人か二人だ。それでも責任があると思って、クラブ連合代表として、おれが作業してるんだ。文句を言うな」

芝原さんが、田添さんのほうを見ないで言った。

「連帯責任よ」

素っ気なく返す田添さん。

「そこまで言うのなら、おれたちと話し合いの機会を持て！　ちゃんと、予算アップの話し合いをしろ」

「予算配分は、年度当初に決まってるの。話し合いしても、むだ。生徒会は、むだなことに時間を使えるほど、暇じゃないの」

お互い、壁の落書きを見たまま、言い合いする二人。

生徒指導の先生がパンパンと手を叩く。

「芝原と田添！　早く帰りたいのなら、口より手を動かせ！」

その声をきっかけに、わたしたちは昇降口を離れた。

夏の日差しで、創也君がヘロヘロになってきている。まるで、日干ししたクラゲだ。わたしたちは、日陰を求める創也君を連れて、プールわきを通り体育館の裏へ行く。

体育館からは、バスケ部やバドミントン部が練習する音が聞こえる。

わたしたちは、開け放たれた体育館の扉の外に座る。吹き抜ける風が涼しい。

「データは、取れたかい？」

日陰に入り、少し元気になった創也君が、内人に言った。

――何、データって？

不思議に思ってると、内人が、水飲み場からタワシを拾ってきた。これ、さっき芝原さんが持っていたのと同じやつだ。

「時間がなかったから、あまり正確じゃないけど――」

タワシを見ながら、カバンからノートを出し、『ＡＳＰ３』の文字を書く内人。それは、壁に書かれていた落書きと、そっくり。

文字の大きさや、バランス、太さ――それらが写真で撮ったみたいに書かれている。まるで、壁に紙を当てて落書きを写し取ったみたいだ。

「すごいじゃない、内人！」

わたしが言うと、創也君が意外そうに言う。

「どうして、令夢君が驚くんだい？　幼なじみだから、内人君の能力を知ってると思ったんだけどね」

――能力……？

わたしと同じ、平凡人の代表のような内人に、なんの能力があるというの？

「さっき、芝原さんがタワシで落書きを消してただろ。そのときに、タワシの大きさと比べて、文字の大きさや角度を見ておいたんだ」

内人が、得意がるわけでもなく言う。

いったい、いつの間に、そんなことができるようになったの？

「山へ入ったとき、おばあちゃんに教えてもらったんだ。カメラがないとき、こんなふうに、物の長さを測って紙に書くって――」

内人が指を伸ばし、近くの木に向ける。

「山の中って、どこも似たような景色だろ。こうやって、山や木の形や特徴をつかんでいけば、通った道を覚えることができる。そうしたら、道に迷わないんだ」

なるほど。わたしは納得する。

ただ、わからないことが一つだけ残る。どうして、内人が、そんな能力を身につける必要があるの？ わたしは不思議で仕方ないんだけど、創也君は当然のように受け止めている。

「さすが、無敵のサバイバー。きみといっしょなら、遭難の心配はないね」

「ぼくは、おまえがいっしょにいるだけで、遭難する予感がするよ」

内人が、冷たい目を創也君に向けた。

「さぁ、ここからは、おまえの仕事だ。この落書きの意味を教えてくれ」

「ふむ」

創也君が、内人の書いたノートを見ながら、顎を指でつまむ。そして、わたしたちを見てから、ボソッとつぶやく。

「そうだな……。ぼくが出した答えは想像に頼る部分が多いし、ここで言ってしまうのは、もったいないかな」

予想外の答えだった。

「〝もったいない〟って、どういうこと？」

「シャトーブリアンは、そのまま焼いてもおいしいけど、温度、湿度、風、微生物をコントロールして熟成させれば、よりおいしくなる。そういうことさ」

——なんだ、〝しゃとぉぶりあん〟って？

言葉の中身から、食べる物だということは予想できるけど、どんな食べ物かは想像もできない。

わけのわからないわたしは、説明を求めて、内人を見る。

「カップラーメンにお湯を入れて、すぐに食べたらおいしくないだろ。ちゃんと三分待たないと

「――」

なるほど、とてもよくわかった。

創也君が、わたしと内人を見る。

「ぼくが、落書きの意味をわかってないから、もっともらしいことを言ってごまかしてる。――そんなふうには思わないのかい？」

わたしと内人は、首を横に振る。

初めて会ってからたいして時間が経ってないけど、竜王創也という男は、自分のプライドを守るために、つまらない嘘をつくやつじゃない。

「おい、竜王に内人――。なんだ、落書きの意味って？」

不意に、体育館の中から声をかけられた。

男子バスケ部が、休憩に入っている。声をかけてきたのは、クラスメイトでバスケ部の大木君だ。

「あの落書きは、そのままの意味だぜ。とにかく、生徒会は、クラブ活動費を上げるべきなんだ。なのに、その話し合いをしようともしないんだぜ。ふざけるなって話さ」

彼が言ってるのは、『生徒会は解散しろ！』とか『予算上げろ！』という落書きのことだ。

つまり、大木君は、『ASP3』のことを知らないんだ。というか、ほとんどの生徒は、あんな目立たない落書きに気づいてないだろう。

創也君が、大木君にきく。

「でも、落書きはクラブ連合が書いたんだろ？」

「たぶんな。下級生の中には、活動費を上げない生徒会に不満を持ってるやつらが多いからな」

「芝原さんが、下級生を煽って、落書きを書かせたのかな？」

わたしがつぶやくと、大木君が激しく否定する。

「そんなこと、芝原さんがするわけないだろ！　あの人は、辛抱強く、生徒会と話し合いをしようとしてたんだぞ！」

……うん、そうだろうな。

さっきも、芝原さんは、クラブ連合の代表として落書きを消していた。下級生に落書きさせるような人には、とても見えない。

そそっかしいところもあるけど（前の世界では、以前、ユニホームの前後ろをまちがえて試合に出てた）、みんなから信頼されている。

「ごめんなさい」

わたしは、素直に頭を下げる。

今度は、内人がつぶやく。

「だけどさ……。やっぱり、あんなふうに落書きするのは、よくないんじゃないか？」

「おれも、そう思う。でもな——」

大木君が、持っていたバスケットボールをパスしてきた。

創也君は、最初から取る気がない——というか、取る運動神経がないようだ。

内人は、手を伸ばすが、滑って取れない。

わたしは、地面に落ちたボールを拾う。

ボールを触ってみてわかった。なるほど、内人が取れないのも無理はない。ゴム製のボールは、何年も使われているのだろう、表面がツルツルになっている。

「こんなボールでしか練習できないんだぜ。ほかのクラブも、似たようなもんだ。そんな現状をどれだけ言っても、生徒会は話し合いに応じない。おれには、落書きしたやつの気持ちがわかるな」

「…………」

「今回は、落書きですんだけど、この調子だと次があるんじゃないかな……。おれは、それが心配だよ」

怖いことを言う大木君。

わたしは、拾ったボールを大木君にパス。ツルツルのボールを扱い慣れてる大木君は、みごとにキャッチ。

――このボールで練習してたら、いざ試合のとき、ものすごく上手になってるんじゃないかしら？

そんな気がした。

青空を見上げると、白い入道雲の向こうから、ゲリラ豪雨を降らせる黒い雲が迫ってきている。

早く帰ったほうがよさそうね。


家に帰ると、お母さんが、そうめんを茹でてくれていた。

夏のお昼は、そうめん！　これが、わが家の鉄則だ。現に、前にいた世界でも、昨日のお昼もそうめんだった。

げんなりした気分で食べ始めたら、なぜか、ものすごくおいしい。

「なんで？」

思わず、声に出していた。

「どうしたの？」

不思議そうな顔で、お母さんが、わたしを見る。

「だって……このそうめん、すごくおいしいよ」

「おかしなことを言うわね。いつもと同じそうめんだけど――」

嘘だ。昨日、わたしが茹でたそうめんより、はるかにおいしい。

「どうやって、茹でたの？」

わたしがきくと、お母さんは、ますます不思議そうな顔をした。

「珍しいわね、令夢が料理に興味を持つなんて」

そう言いながらも、うれしそうだ。

「そうめんは、できるだけたくさんのお湯で茹でると、おいしいの」

ふむふむ。そういえば、わたしは洗い物がめんどうなのと、早く沸騰するので、小さなお鍋に入れた少しの量のお湯で茹でていた。

「あと、お湯を沸かすときに、梅干しを入れて煮るの。そうめんを入れるのは、それからよ」

梅干し！　なんなの、その裏技！

「どうして、梅干し入れるの？」

「お母さんは、知らないわ。おばあちゃんがやってたから、マネしてやってるの」

本で調べたら、クエン酸がなんたらかんたらと書いてあったけど、よくわからなかった。

わかったのは、そうめんは梅干しを煮たお湯で茹でるとおいしいってこと。これは、忘れないようにしよう。

そうめんを食べながら、もっとお母さんに料理を教えてもらえばよかったと考える。

「ねぇ、お母さん。今日の夕ご飯、何？」

「お昼食べながら、もう夕飯の心配してるの？」

「いや、そうじゃなくて――」

いっしょに料理をして、いろいろ教えてもらおうと思ったんだ。

でも、そう言う前に、お母さんの口が動く。

「お夕飯の話をする前に、見せてほしい物があるんだけど――」

お母さんが、わたしに向かって手を伸ばす。

――えーっと……。

「ひょっとして、成績表のことでしょうか?」

お母さんが、「当然」という顔で、うなずく。

わたしは、味がしなくなったそうめんを飲みこみ、カバンから成績表を出した。

「………」

無言で成績表を見るお母さん。

代わりに、わたしが口を開く。

「ねっ、今回もオール3だけど、わたしなりにがんばったのよ。ほめて……くれますよね?」

お母さんを、チラリと見る。口元は笑ってる。でも、目が笑ってない。

「二年生になるとき、約束したよね。一教科でもいいから、平均よりよい成績を取るって――。なのに、どうして今回もオール3なの?」

「でも……でもさ、平均以下だって一教科もないんだよ。みごとに、全部平均点! これって、全部トップを取るより難しいと思わない?」

わたしの主張は、お母さんの耳に届かない。

そして始まる、「令夢は、本当の努力をしていない」「将来への不安」「こんなに心配してるのに――」の三重奏。

大音量で響くお母さんの言葉。

三重奏が終わって、ため息の間奏曲が続く。

ようやく終わったかと思ったら、お母さんがスマートフォンを出した。そして、何やら紙を見ながら電話をかける。

わたしは、その隙に食器をかたづける。

洗い物を終えて、お母さんに言う。

「ねぇ、お母さん。わたしも料理覚えたいな。今日の夕飯、いっしょに作ってもいい？」

通話を終えたお母さんが、わたしに言う。

「今日の夕飯は、外で食べてね。予算は五百円。この範囲内で、ちゃんと栄養のあるものを食べるのよ。お母さんのおすすめは、お弁当屋さんより、コンビニね。お弁当以外に、野菜サラダとか充実してるから」

いや、ちょっと待ってよ！

せっかくお母さんに料理を教えてもらおうと思ってるのに、なんで外食しないといけないの？

いろいろきこうと思ったわたしの前に、お母さんが一枚の紙を滑らす。

『夏が勝負を決める！　来れ、超ハードな夏期講習！』という文字が、恐ろしいフォントで書かれている。

「お母さん、これって……」

説明を求めようとしたんだけど、それより先に、お母さんの口からマシンガン掃射（そうしゃ）のように言葉が飛び出す。

「今日の午前中、内人君のお母さんに会ってね。そうしたら、内人君を塾（じゅく）の夏期講習にやるって言うのよ。いろいろ話を聞くと、成績も令夢と同じぐらいなのよね。なのに、内人君を夏期講習に行かせるなんて――。お母さんも、反省したわ。令夢も夏期講習に行かせなきゃって思ったのよ」

――お母さん、論理が三段跳（さんだんと）びぐらい飛躍（ひやく）してるよ……。

わたしと内人の成績が同じぐらいで、内人が行くからって、どうしてわたしまで夏期講習に行かなきゃいけないのよ。

反論しようと思うのだけど、お母さんの口は止まらない。

〝中学二年生は大事なとき〟、〝令夢の将来のため〟、〝がんばったことは財産になる〟、〝苦しい家計から講習代を出すんだから、がんばって！〟の連打（ラッシュ）に、わたしは手も足も出ない。

完全にノックアウトされる前に、わたしはみずから白旗を揚（あ）げる。

「がんばって、夏期講習に行ってくるわね」

引きつった笑顔で言う。

わたしは、さっき食べたそうめんの味を思い出そうとしたんだけど、無理だった。


もうすぐ三時になろうというころ——。

炎天下を、塾に向かって歩く。すると、公園の近くで、内人と創也君に会った。

「よっ、偶然だな」

内人が、シュタッと手を上げる。

——こいつのせいで、夏期講習に行かなきゃいけなくなった！

内人に責任がないのはわかってるんだけど、腹が立つ。

「なんで、にらんでくるんだよ！」

文句を言う内人に、わたしは理由を話す。

「ぼくが悪いとは思わないけど……ごめんな」

こういうところが、内人だ。この世界でも、変わってない。

すっきりしたわたしは、創也君を見る。

「意外だわ。創也君も夏期講習に行くなんて……」

肩をすくめる創也君。

「塾へ行くまで、内人君の話し相手になってやろうと思ったんだ。でも、令夢君が来たから、ぼくはそろそろ失敬しようかな」

そうだったのか。

冷たい印象もある創也君だけど、こういうところは友達思いなんだな。

わたしたち三人は、公園の横を通る。

「そういや、小さいときに、ブランコの取り合いでケンカしたよな」

内人が言った。

うん、これは覚えてる。そのとき、ブランコから落ちて、内人は手にけがしたんだ。

前の世界では、まだ傷が残っていたけど、この世界の内人の手はきれいだ。

——つまり、この世界で、内人はけがをしなかったんだ。

そう思って、公園のブランコを見る。

あれ？　誰か、乗ってる。小さな子どもじゃない。制服を着た中学生——芝原さんだ。

——なんで、芝原さんが……？

不思議に思ってると、目が合ってしまった。怖い目で、わたしたち（とくに創也君）を見ると、ブランコの鎖を揺らし、どこかへ行ってしまった。

なんか、おじゃましてしまった気分。

STAGE03　ひょっとして危機一髪？　あと、砦訪問

夏期講習からの帰り道。

すでに太陽は姿を消してるけど、熱気だけはイヤになるぐらい残っている。わたしは、足を引きずるように歩く。

ガトリング砲のように飛んでくる塾の先生の言葉に、わたしは打ちのめされている。あんな速い講義、聞いてるだけで精一杯だ……。

「ほら、元気出して、一生懸命歩く！」

内人が、わたしの背中を押す。

よし！　……と思って早歩きするんだけど、すぐに、元のスピードに戻ってしまう。

今のわたしは、数時間の講義を受けて、ライフポイントがかなり減っている。ここは、何か食料を入れないと倒れてしまう。

「ねぇ、内人。どっかコンビニで食べ物買おうよ」

「そうだな」

あれ？

なんだか、内人の声が真剣だ。なんだろ、トイレを我慢してるのかな？

「よし、あそこのコンビニにしよう」

目についた、近くのコンビニの中へ入る。

――予算は、五百円。選択ミスは、命取りになる。

買い物カゴを持ち、わたしは油断なく店内を見回す。

――おにぎり、サンドイッチ、ここはカップ麵という手もある。

さまざまな食料が目に飛びこんでくる。考えれば考えるほど、決められない。

――そういや、内人は、何を選ぶのかな？

参考にしようと思い、内人のカゴを見ると、スポーツ新聞が入っている。

――ヤギ……？

不思議に思ってると、今度は、ガムテープをカゴに入れた。ますます、わからない。

レジへ向かう内人。わたしは、買い物カゴに、おにぎりとサンドイッチを放りこみ、後に続く。

「内人……そんなの食べて、お腹壊さない？」

店から出てきくと、微笑む内人。そして、意外なことを言った。

「塾を出てから、ぼくらの後をつけてきてる人がいるの、気づいてた？」

「え？」

わたしは、立ち止まって後ろを見る。

「見てもむだだよ。ぼくらに気づかれないよう、注意深くついてきてるから」

置いてかれないよう、あわてて内人に追いつく。

「気のせいじゃない？」

そうきくと、内人が「う～ん」と、頭をかく。

「歩くスピードを速くしたり遅くしたりしても、ずっと一定の距離を取ってついてきてるんだ」

そして、わたしを見る。

「気のせいだったらいいんだけど、今は令夢がいっしょだから念のために準備しとかないと」

ちょ、待ってよ！　なんなの、わたしがいっしょだからって――。ひょっとして、わたしを守ってくれる気なの？

わたしは、深呼吸して気持ちを落ち着かせる。そして、ドキドキしてるのがわからないよう、素っ気ない声できく。

「その準備が、さっき買った新聞とガムテープなの？」

「うん」

歩きながら、コンビニ袋からガムテープを出し、穴に腕を通す。次に新聞を出し、ぐるぐると固く丸めて棒状にする。そして、上からガムテープを巻いた。

ひょっとしてだけど、この新聞紙で戦う気？

「警察に行ったほうがいいんじゃない？」

「まぁ、そこまでしなくても、相手は一人だし――。ぼく一人で大丈夫だと思うよ」

この自信……。前の世界の内人とは、明らかにちがうわ。

「明るい道で、人通りがあるうちは大丈夫だと思うんだけど、問題はこの先だね。何か仕掛けてくるとしたら、そこだ」

内人の言葉に、わたしはうなずく。

この先は、街灯もない細い路地が百メートルほど続いてる。そこは、金網のフェンスと石垣にはさまれていて、逃げ道がない。

「ほかの道を通ろうよ」

わたしの言葉に、内人は首を横に振る。

「ついてきてるやつの狙いが、ぼくか令夢か、二人ともなのか、わからない。もし、令夢一人のときに、何か仕掛けてきたら困るからね。今、仕掛けてきてくれるほうがありがたい」

……なんて、頼りがいのあるセリフだ。

わたしは、少し感動しながら路地に入る。

都会の光が、生い茂る木々に遮られ、一気に暗くなる。自分の足下も暗くて見えない。はっきりわかるのは、ずっと先にある路地の出口。そこだけが、トンネルの出口みたいに明るい。

熱気も、スッと引いた。

わたしは、耳を澄ませる。

車の音が消え、代わりにオケラの鳴くジーという音が、耳鳴りのように響く。それに混じって、チャッチャャッという微かな足音が聞こえる。

——よく、こんな足音に気づいたわね……。

いや、感心してるときじゃない。めったに人が通らない路地にまでついてくるなんて、明らかに、何か仕掛けてくる気だ。

不安になってると、心配ないよというように、内人がわたしの肩をポンと叩いた。

「気にせず、そのまま歩いて」

小声でささやき、歩くスピードを落とし、わたしから少し離れる。

注意深く耳を澄ませると、ついてくる足音は、わたしたちが歩くのと同じリズム。

チャッチャッ、チャッチャッ——。

その音に混じって、オケラの鳴く音と、心臓の激しい鼓動。その中で、足音だけがだんだん大きくなり、近づいてきてるのがわかる。

——いつ……いつ、仕掛けてくるの？

緊張で叫び出しそうになったとき、足音のリズムが乱れた。

ザッ！

走って近づいてくる足音。

振り返ると、闇の中、内人の背後から何者かが覆いかぶさろうとしているのが見えた。

「内人！」

わたしが叫んだ瞬間、

「ぐわっ」

襲撃者が、うずくまる。そして、地面を這うようにして、逃げていった。

わたしは、内人に駆け寄る。

「大丈夫だったの？」

「うん。なかなかタフな相手だよ。動けなくなったところを捕まえようと思ったんだけどね」

内人の手には、ガムテープをひねって作ったロープがある。

「何したのよ？」

「襲ってくるときに、わきの間から、これを突き出したんだ」

内人が、丸めた新聞紙を見せる。

なるほど。襲撃者は、内人に覆いかぶさろうとして、新聞紙を丸めた棒に自分から突っこんだわけだ。

さぞ、痛かったでしょうね……。

そのとき、わたしの足に、カツンと当たるもの。何か落ちてるんだけど、暗くて見えない。

内人が、ズボンのポケットからキーホルダーライトを出して、地面を照らす。

「あんた、いつも、ライト持ってるの？」

わたしの質問には答えず、地面からカッターナイフを拾い上げる内人。

チキチキキキとカッターナイフの刃を出す。キーホルダーライトの光を反射し、キラリと光る。

次に、一枚の紙を拾った。

その紙を見て、内人が言う。

「襲撃者の狙いがわかったよ」

わたしに紙を見せる。そこには、ワープロで書かれた『落書きから手を引け』という文字が
——。

「落書きのことを調べてほしくないやつが、ぼくらを脅して、手を引かせようとしたようだね」

内人が、丁寧に紙を折ると、ポケットにしまった。

「ここから先は、あいつにきいたほうがよさそうだね」

「〝あいつ〟って？」

「創也だよ。今から行ってみるよ」

「彼の家まで行くの？」

わたしがきくと、内人はフッと笑った。

「この時間は、砦にいるよ」

砦……？

首をひねっていると、内人が頭をかく。

「令夢は、砦に行ったことないもんな。行ってみる?」

即座に、わたしはうなずく。

「創也も歓迎してくれる……と思うよ……たぶん……」

ものすごく微妙な言い方をする内人。


そこからは、驚きの連続だった。いちいち〝驚いた〟とか〝ビックリした〟って書いてると、話が進まないので、最初にまとめて書いておくね。

ビックリした!

まず、〝砦〟という秘密基地みたいなものを、内人と創也君が持っていたということ。(創也君からは「秘密基地じゃなく、砦だ」と言われたけどね)

連れていかれたのは、ビル群が立ち並ぶビジネス街。

——こんなところに、砦があるの?

昼間はサラリーマンでにぎわう場所だけに、夜は静かだ。歩道に人はいないし、車道にも車は走ってない。

いや、一台だけ停まってる車があった。黒い大きな外車だ。運転席には、短い髪の男性が座っている。

男性が、読んでいる雑誌から顔を上げ、わたしたちのほうを見る。内人が、ペコリと頭を下げる。わたしも、つられて下げる。

その後、男性は、また雑誌に目を落とす。雰囲気としては、「通ってもいいぞ」と許可を出した番犬のような感じだ。

「あの車に乗ってる人、内人の知り合い？」

「うん、卓也さんっていうんだ。……子ども好きの、優しい人だよ」

そう言う内人の表情が、微妙だ。

「ここから、砦に入るんだ」

内人が手で示したのは、パッと見はビルとビルの間の隙間——五十センチの幅もない路地だ。

「こんなところ、通れるの？」

この質問に、内人が、わたしの体をジトッと見る。

「まだ、大丈夫だと思うよ。でも、あと数キロ体重が増えたら、なんとも言えないね」

女性に向かって、なんて失礼なやつだ！

思いっきり文句をぶつけてやろうと思ったら、その前に、内人が路地に入っていく。わたしも、あわてて後を追う。

路地は、雑多なものが転がっていて、とても歩きにくい。内人はスイスイと歩いていくけど、わたしは、いたるところに足をぶつける。……痛い。

二十メートルほど歩いたところで、路地は終わり、ドアがあった。

内人が、カギを出し、ドアを開ける。ワトソン人形のキーホルダーがついたカギだ。

「ここからは、ぼくの足跡を踏むようにしてついてきてね」

内人が、わたしに注意する。

「踏み外したら、どうなるの?」

「楽しくないことになるよ」

笑顔で答える内人。楽しくないことは嫌いなので、注意して、内人の足跡を踏む。

セメント袋や鉄骨の切れ端が転がったフロアを四階まで上る。

「さぁ、ここだよ」

内人が、ドアを開ける。

創也君が、立っている。内人を見てから、わたしを見る。少し驚いたような顔をしてから、ニコリと微笑む。

「ようこそ、ぼくらの砦に」

その言葉といっしょに、ダージリンティーの香りが、わたしを迎えてくれた。

そう広くないフロアには、ミニキッチンまでついている。でも、電気もガスも水道も止められているそうだ。

水はペットボトル、ガスはカセットコンロ、電気は自家発電機でなんとかしていると、あとで内人が教えてくれた。

フロアの中央には、ガラステーブルとソファー。スチールデスクには、数台のパソコンが置かれている。

そして、壁際に積まれた雑誌や新聞、本の山。あと、基板がむき出しになった機械や、何に使うのかわからない機械、などなど。この風景に似てるのは、リサイクルショップ。あるいは、閉店直前の古道具屋だろうか。

わたしは女の子だからわからないけど、男の子なら、ワクワクするんだろうな。

創也君が、ソファーに座ったわたしの前に、ティーカップを置いてくれる。

「暑いからアイスティーにしようかとも思ったんだけど、まずは温かいものを飲んでほしくてね」

紅茶をいれる彼の手順を見ていたんだけど、温度計やらストップウォッチまで手に持って、化学の実験のような雰囲気だった。

――薬品みたいな味がするんじゃないかしら……。

おそるおそるティーカップを持ち、一口含む。

「………」

それは、生まれて初めて飲む、無茶苦茶おいしい紅茶だった。ああ、もう驚くのは終わりにしたい。

創也君が、コンピュータの前に座る。

わたしの横に座っている内人が、襲撃者が残していった紙を、彼に渡した。そして、襲われたときの様子を話す。

「以上のデータから、何がわかる？」

内人が、創也君にきいた。何がわかるって……これだけの情報で、何かわかるの？

「ふむ」

しばらく紙を見つめた後、創也君が両手の指を合わせ、話し始める。

「襲撃者の身長は、内人君より高い。そして、ワープロを使える」

うん、この程度なら、わたしにでもわかる。

「あと、襲撃者は、ぼくたちの知り合いという可能性が高い」

えっ、どうして？

「『落書きから手を引け』——こんなこと、口で言えばいい。それを言わずに紙に書いたってことは、ぼくらに声を知られている者の犯行ってことさ」

なるほど。

「そして襲撃者は、脅すだけで、ぼくらに危害を加える気はなかった」

「そこまで言い切れるの？」

「本当にけがをさせるつもりなら、最初からカッターの刃を出して襲ってるよ」

たしかに、地面に落ちていたカッターナイフの刃は、しまわれていた。

創也君の話で、襲撃者について、かなりわかった。

内人も、うなずく。

「で、どうするんだ？」

「どうもしないよ」

創也君が肩をすくめる。

「『落書きから手を引け』と言われても、ぼくらは、もう関わってしまっている。襲撃者のやったことは、まったくむだだよ」

聞いてると、襲撃者がかわいそうになってくる。いろいろ準備して襲いかかったのに、内人も創也君も、まったく怖がってないんだもん。

「それに、もう謎も解けているからね。明日、何もなければ、謎解きをしてあげよう」

そのとき——。

めまいのような感覚に襲われた。目の前にあるものから、立体感が消える。そして、電波障害のように、世界が揺れた。

——何？　どうしたの？

パニックになりかけたけど、すぐにめまいは収まった。わたしは、ゆっくり息を吐く。

そして、理解した。

わたし……元の世界に戻りかけてる。

スリップした世界で何かを成しとげたり、解決したりすると、元の世界に戻れる。今、創也君が謎を解いたって言ったから、元の世界に戻りそうになったんだ。

――もし、創也君から謎解きを聞いていたら、わたしは元の世界に戻っていた。

そう思うと、胸が締め付けられるような不安が襲ってくる。

――元の世界ってことは、お母さんが死んでる……。創也君もいない。

はっきり意識する。

――わたし、元の世界に戻りたくない！

また、めまいが襲ってくる。わたしは、目を開けていられない。

「おい、令夢！　大丈夫か！」

内人が、わたしのほおをペシペシ叩いてくる。

「ああ……大丈夫……って、それより痛い！」

わたしは、内人の手を払いのける。

「平気平気。ちょっと疲れてるのよ。今日は、夏期講習やら謎の襲撃者で、いっぱいいっぱいだったからね」

わたしは無理に笑顔を作り、元気さをアピール。

「夏風邪は、バカがひくっていうからな。帰って休んだほうがいい」

真剣な顔で言う内人のわき腹に、わたしはひじを打ちこむ。

「ぼくも、早く帰ったほうがいいと思う。『風邪は万病の元』という言葉があるからね。無理しないほうがいい」

創也君の優しい言い方！　見習ってもバチ当たらないと思うよ。

……それでも、内人は家の前まで送ってくれたんだから、まぁよしとしよう。


「ただいま！」

心臓はバクバクしてるし、汗だらけ。

わたしは、息を整える暇もなく、居間に駆けこむ。

「遅い！　夏期講習が終わってから、何時間経ってると思ってんの！」

お母さんが、腰に手を当てて立っている。角をつけて金棒を持たせたら、赤鬼とまちがえそうだ。

わたしは、ひたすら頭を下げる。

「ごめんなさい、ごめんなさい！」

早く帰らなかったわたしが悪い。お母さんが心配して怒るのは、当然だ。

「なかなか帰ってこないので、内人君の家に電話までしたのよ。そうしたら、お母さんが出て、内人君は三十分も前に帰ってるって言うじゃないの。なのに、あなたは帰ってきてない。あと五分したら、警察に捜索願出してたところよ！」

「すみませんでした！」

いつの間にか、涙が出ていた。

哀しかったからじゃない、うれしいからだ。

お母さんに、本気で怒られる——それが、こんなにうれしいなんて……。怒られてるのに、うれしくてうれしくて仕方ない。

お母さんが、フッと肩の力を抜く。

「……今度から、気をつけるのよ」

わたしは、無言でうなずく。

「ご飯、食べるでしょ？」

「うん」

コンビニで買った、おにぎりやサンドイッチは、すでに消化してしまった。今は、お腹がすいて仕方ない。

「だったら、先に、お風呂に入りなさい。その間に、ご飯用意しておくから」

わたしはうなずき、お風呂場に向かう。

お母さんのカレーを食べながら、わたしは、改めて思う。

——この世界から、戻(もど)りたくないな……。

BACKSTAGE　闘う怪盗

超弩級巨大飛行船トルバドゥール。

全長一キロを超える船体が、南アメリカ大陸——ペルーのナスカ高原上空に浮かんでいる。

広い船室の中央に置かれたテーブル。

一方に座っているのは、クイーン。怪盗を生業にする者。

伏し目がちに座ったその姿は、天使や妖精が気まぐれに実体化したような雰囲気を持っている。

「納得できないのだが——」

クイーンが、口を開く。それに合わせて、長い銀色の髪が、ファサリと動く。

[それは、わたしも同じです]

クイーンの前には、天井から下がったRDのマニピュレーター。六本ある指のうちの一本を伸ばし、左右に振る。

ＲＤは、トルバドゥールのシステムを司る、世界最高の人工知能である。本人の目標は、〝歌って踊れる人工知能〟だ。

無言の時間が流れる。

コッ、コッ、コッ……。これは、ＲＤの指が、テーブルを叩く音だ。

それに対し、クイーンは冷静だ。髪をかきあげると、長い足を組む。

「難しいことを言っているんじゃない。当たり前の要求をしているだけなんだ」

クイーンの頭には、赤い鉢巻き。『要求貫徹』という文字が、黄色の糸で刺繍されている。

「わたしは、言われるまま、ちゃんと仕事をした。だから、休暇がほしいと言っている。働いたから、休ませろ――じつに、当たり前の要求じゃないか」

[今までずっとサボっていた者が、たまたま一つ仕事をした。だから褒美がほしい。――わたしには、このド厚かましい要求が納得できないのです]

そして、また沈黙が流れる。

今度、先に口を開いたのはＲＤだ。

[それで、あなたの要求はなんなのです?]

「休暇だよ」

[具体的には?]

「そうだね……。まずは、ハワイで一か月のバカンス。その後は、カナダへスキーに行きたいね。あとは、タイでタイ料理やスパを——」

[却下します]

そして、また沈黙の時間。

これらのやりとりを、部屋の隅で聞いている男——ジョーカー。壁にもたれ、腕を組んでいる。

——八万九千九十二、八万九千九十三、八万九千九十四……。

ジョーカーは、クイーンとRDの争いが始まってから何秒経ったかを、ずっと数えていた。

——十万秒経ったら、止めに入ろう。

そう思って黙っていたのだが、あっという間に十万秒が経った。

「人工知能のくせに、約束を破るのか!」

[怪盗なら、文句を言わずに働きなさい!]

見苦しい言い争いが続く中、ジョーカーはテーブルに向かう。そして、軽くテーブルに掌を叩きつけた。

ビシッ！

分厚いテーブルが、真っ二つになる。

「少し、冷静になりませんか」

ジョーカーの静かな——しかし、怒りのこもった声に、クイーンとＲＤは黙りこんだ。

「まず、クイーンの言い分を聞きましょう」

ジョーカーが言う。その姿は、死者の罪を量るエジプト神話に登場する冥界の神——アヌビスを思わせた。

「どんな仕事をしたのか、内容を説明していただけますか」

「うむ」

立ち上がるクイーン。

「今回、わたしが盗んだ獲物はこれだ」

ポケットから、黒い石を出すクイーン。大きさはニワトリの卵ぐらい。ただ、卵とちがって、ボールのように丸い。

「古代ペルー人の間で、エスポンハ・ピエドゥラと呼ばれていた、神の石だよ。わたしは、かわいく『エスポン』って呼んでるけどね」

手を伸ばし、石を手に取るジョーカー。

――なんだ、この色は……。こんなに深い黒色は、見たことがない。あまりに黒いので、立体感がない。

持っていると、手が吸いこまれそうな恐怖を感じ、思わず石を落とす。

「おっと。気をつけてくれよ、ジョーカー君。せっかく盗んだ獲物なんだから」

床に落ちる前に、キャッチするクイーン。お手玉のように、何度か空中に放り投げる。

――この人は、恐怖を感じないのか……。

化け物を見るような目を、クイーンに向けるジョーカー。そのほおを、冷たい汗が流れる。

天井につけられたＲＤの人工眼が、エスポンハ・ピエドゥラを全方向からスキャンする。

[どうして、神の石と呼ばれてるんです?]

いい質問だというように、クイーンがうなずく。

「それを説明する前に、ナスカ高原に描かれた地上絵の話をしよう」

指を鳴らすクイーン。壁の一部が開き、スクリーンが現れた。そこにスライド映写機で写真を映す。

[トルバドゥールには、最新のプレゼンテーションツールが用意されています。なのに、どうしてそんなアナログな機械を使うんです?]

「このレトロ感がいいんじゃないか」

スイッチを押し、ナスカの地上絵を映していくクイーン。長さ九十六メートルのハチドリ、五十五メートルのサル、四十六メートルのクモなど、有名な絵が、次々と映し出される。

「きみたちは、これらの絵が、なんのために描かれたのか知っているかい?」

この質問に答えたのは、RDだ。

[いろいろな説があります。UFOの発着場という説、カレンダーだという説、雨乞いの儀式をするために描いたという説などがあります]

うんうんと、うなずくクイーン。

「どれもこれも、もっともらしく聞こえるが、決定打に欠ける説だ。そして考えているうちに、わたしは真説にたどり着いたのだよ」

——うさんくさい。

ジョーカーとRDは、同時に思った。

かまわず、クイーンが続ける。

「地上絵が描かれているナスカ高原一帯は、世界遺産リストに登録されていて、立ち入り禁止エリアになっている。つまり、何かを隠すには、最適の場所だと思わないかい？」

「何が言いたいんです？」

「古代ペルー人は、ナスカ高原に宝を隠した。そして、その宝を掘り起こされないように、地上絵を描いたのだよ！」

言ってからクイーンは、耳に手を当てて、「なっ、なんだってぇ〜！」という声を待つ。

しかし、RDは無反応。

ジョーカーが、ため息混じりにきく。

「いったい、なんの資料を見て、そんな珍説を思いついたんです」

サッと『世界の謎99　〜おわかりいただけたであろうか？〜』を出すクイーン。

「わぁ〜、すごいですね」

これ以上はないというぐらい、棒読み口調でジョーカーが言う。

「すごいですけど、トルバドゥール以外で、言わないでくださいね。あなただけでなく、ぼくたちまでバカにされますから」

「………………」

［だいたい、地上絵が描かれたのは、紀元前四〇〇年から紀元後四〇〇年だと言われています。しかし、あまりに巨大な絵であったため、一九二〇年代にアメリカとペルーの調査団が地上調査で発見するまでは、そのような絵が描かれていることは世界的には知られていませんでした。おまけに世界遺産リストに登録されて立ち入り禁止になったのは、もっと最近です。つまり、地上絵は、財宝を掘らせないために描いたという説は、おかしいでしょ」

ＲＤとジョーカーから認められず、哀しそうにため息をつくクイーン。しかし、その心はウルツァイト窒化ホウ素よりも固く、折れることはない！

すぐに復活すると、エスポンハ・ピエドゥラを持つ。

「エスポンの話を知ったわたしは、すぐに計画を立てたよ。この点、わたしは働き者だからね」

アピールするクイーンの言葉を、ジョーカーとＲＤは無視する。

「酸化マグネシウム系土舗装固化材を使い、地上絵を傷つけないよう固める。そして、地底戦車で地下に潜ったんだ」

スライド映写機で、地底戦車の写真を映す。先頭部に巨大なドリルがついた、筒状の車体。

「この間から、何かコチャコチャ作ってると思ったら、こんな物を作ってたんですね」

あきれたジョーカーの声。

クイーンは、まったく気にせずに、胸を張る。

「すごいだろ。先についている巨大ドリルで固い岩盤も砕いて、地中を時速二十四キロのスピードで進むんだ」

「ちょっと待ってください。この地底戦車で、どうしてそんなことができるんです？　先っぽのドリルが地面に食いこんだ瞬間、車体のほうが逆回転して、地中に潜るなんてできませんよ！」

「その点は、ローターの組み合わせで解決してある」

RDの指摘に、Vサインを返すクイーン。

「潜ってからは、高周波の電磁波を地中に放射し、宝を探した。かなり時間がかかったけど、なんとか見つけることができたよ」

エスポンハ・ピエドゥラを、お手玉のように放り投げる。

「苦労したかいがあったよ。古代ペルー人の宝――エスポンを、こうして手にすることができたんだからね」

「そうなんですか。ぼくには、ただの丸い石にしか見えませんが……」

ジョーカーの言葉に、クイーンがフッと笑う。

「RDは、気づいてるんじゃないか？　エスポンが、普通の石ではないということに――」

【……はい】

認めたくないというRDの口調。しかし、世界最高の人工知能は、さっきスキャンしたデータを無視することはできない。

【まず、形です。完全なる真球です】

真球――寸分の狂(くる)いもない、完全なる球体。

【現在の技術でも、真球を作ることは不可能だと言われています。なのに、なぜ、古代ペルー人は作ることができたのか……】

「古代ペルー人が作ったとは、限らないよ。誰(だれ)かから、もらったのかもしれない」

クイーンが口をはさむ。

RDは、無視して続ける。

【次に、色です。光学検査の結果、光を、九十九・九九九九パーセント吸収しています。すべての波長を完全吸収する物質と呼んでいいでしょう。そして、これも現在の技術では作ることができません】

「…………」

聞いていたジョーカーのほおを、冷たい汗(あせ)が流れる。

「現在の技術では作れないといっても、現にエスポンは存在し、わたしの手の中にある。それでいいじゃないか」

微笑むクイーン。

――クイーンは、わかっていない。現在の技術では作れないものが存在する――それが、どれだけ問題かということに……。

そして、気がつく。

――考えてみたら、クイーン自体も、科学や常識の外側にいる存在。だったら、エスポンハ・ピエドゥラが存在しても問題ない。

ＲＤは、とても気が楽になった。

クイーンが、エスポンハ・ピエドゥラを高くかざす。

「わたしは、こうして偉大な仕事を成しとげた。そのわたしが、休暇をほしがるのは、当然ではないかね？」

ジョーカーとＲＤを見るクイーン。その表情は、「勝った！」という確信で満ちあふれている。

［では、クイーンに休暇は必要ないという立場から、証拠を提出させてもらいます］

ＲＤの言葉が終わると同時に、天井から数本のマニピュレーターが伸びてくる。そして、書類の束を、テーブルに積んでいく。

「なんだい、その書類は？」

余裕の表情で、クイーンがきく。

[あなたが、テレフォンショッピングやネット通販、フリマアプリで買い物をしたときの決済書です]

クイーンの表情が変わる。

[いかに、あなたがむだ遣いをしているかが、すべて数字で残っています]

「…………」

テーブルに積まれる書類が、どんどん増えて山になっていく。

「ペーパーレスが推奨される現代に、こんなにたくさんの紙に印刷するなんて、もったいないと思わないかい？」

そういう声が、少し震えている。

[すみません。でも、こうしてプリントアウトし、積み上げることで、いかにむだ遣いをしているかがはっきりすると思ったのです]

テーブルが、決済書の山で埋まった。

［これらのむだ遣いを、あなたは、たった一つの仕事でないことにしようというのですか？］

「………」

勝敗は、明らかだった。

何か言おうとしてクイーンは口を開けるが、決済書の山を見ると、言葉が出てこない。

「結論が出ました。休暇は不要。——いいですね？」

ジョーカーが、結論を出す。

クイーンの『要求貫徹』と書かれた鉢巻きが、スルリとほどけた。

［少し、気になることがあるのですが——］

ＲＤが言う。

船室の隅では、真っ白な灰になったクイーンが転がっている。

［どうして、クイーンはエスポンハ・ピエドゥラを盗んだのでしょう？］

「自分で言ってたじゃないか。子ども向けの怪しいオカルト本に載ってたからだって——」

ジョーカーが、どうでもいいという感じで答えた。

［では、どうして、そのオカルト本をクイーンは読んだのでしょうか？］

「ゴロゴロするのにも飽きてきて、本でも読もうと思ったんじゃないかな？」

【………】

黙りこむRD。

ジョーカーも、口を閉ざす。

しばらくして、RDが独り言のようにつぶやいた。

【『踊っているのでないのなら踊らされているのだろうさ』――】

「なんだい、それは？」

【日本の有名な作家の言葉です。今のクイーンを見ていると、誰かに踊らされているような気がして……】

その言葉に、ジョーカーは驚く。

「クイーンを、踊らせる？　天上天下唯我独尊で、おもちゃ屋の前で暴れる駄々っ子よりもわがままなクイーンを？　そんなことができるのは、皇帝ぐらいだよ」

【わたしも、そう思うのですが……何か気になるんです】

RDの言い方は、はっきりしない。

「それは、世界最高の人工知能が、現状を分析した答えなのかい？」

［いいえ。ただの勘です］

——だったら、最大限の注意を払わないといけないな。

ジョーカーは、神妙な顔でうなずいた。

彼は、〝勘〟というものを軽んじていない。肉体を鍛錬し、精神を研ぎ澄ませば、通常ではわからないことを感じ取ることができる。そう信じている。

——しかも、ＲＤは世界最高の人工知能。人間では、とうていわからないことも感じているのかもしれない。

ジョーカーは、考える。

——もし、クイーンを踊らせることのできる者がいたとしたら……。それは、おそらく神のような存在なんだろうな。そして、踊らされているのはクイーンだけなのか？　ぼくは、どうなんだ？

自分の手を見るジョーカー。見えない糸が結ばれていて、マリオネットのように操られているのではないかと思ったのだ。

クイーンを見ると、さっきまで船室の隅に転がっていたのに、今はいない。

「あれ、クイーンは？」

「そういえば、いませんね。自室のベッドで、フテ寝してるんじゃないですか？」

RDが言うと、船室のドアが開いてクイーンが入ってきた。今度は、『要求貫徹』と書かれた幟を持っている。

「もう一度、話し合おうじゃないか。たしかに、わたしのこれまでの生活態度を考えると、休暇を要求するのは無理があるかもしれない。しかし、エスポンを盗むという仕事を終えたのも事実だ。そこで、新たな要求を持ってきた」

テーブルに着いたクイーンが、静かな口調で話し始める。

様子の変わったクイーンを見て、RDはマニピュレーターをテーブルのほうへ移動させる。

「聞かせていただきましょう」

「日本へ行きたいんだ。それは、日本で休暇を取ろうというんじゃない。あそこには、友人の名探偵がいるからね。彼と会って、世間話をしたいんだ」

「名探偵のところへ行きたいだけなんですか？　本当は、道頓堀や金閣寺、東京ディズニーランド、姫路城、屋久島、伊勢神宮などへ行くつもりなんじゃないですか？」

肩をすくめるクイーン。

「今も言ったが、久しぶりに名探偵と会いたいだけなんだ」

【…………】

——どこまで、本心なんだろうか？　本気で友達と話したいだけなら、今後のモチベーションも考えて、日本へ行ってもいいんだけど……。

判断のできないＲＤは、人工眼をジョーカーに向ける。

「いいんじゃないですか。たまには、友人と語り合うというのも——」

ジョーカーの言葉に、クイーンの表情が輝く。

「ありがとう、ジョーカー君！　さすが、わが友人！　友達のたいせつさを、よくわかっているね」

「お言葉を返すようですが、ぼくは友人ではなく、仕事上のパートナーです」

氷よりも冷たい言葉を放つジョーカー。

【ちなみに、わたしは、一介の人工知能です】

ＲＤが、追い打ちをかけた。

クイーンは、負けるもんか！　と、拳を握りしめる。そして、ジョーカーに言う。

「そういえば、日本にはＮＩＮＪＡがいるから、ジョーカー君はケンカしたらダメだよ」

「ＮＩＮＪＡ？　何百年も前に、絶滅したんじゃないんですか？」

ジョーカーの返事に、「わかってないね」と肩をすくめるクイーン。

「相手はＮＩＮＪＡだよ。ＮＩＮＪＡが死ぬはずないだろ」

たしかにそのとおりだと、ジョーカーは思った。

「きみもかなり強くなったけど、まだまだＮＩＮＪＡには勝てないよ。ＮＩＮＪＡの使う『飯綱落とし』は、わたしでも勝つのが難しい必殺技だからね」

――クイーンでも、勝つのが難しいとは……。

聞いているジョーカーに、疑問がわく。

「ふだん、ＮＩＮＪＡは何をしてるんですか？」

「満員電車に乗って、会社に行ってるよ」

「変ですね。ＮＩＮＪＡは、一日に数千里を走ると書物で読みました。一里って、約四キロですよね。それだけの距離を走れるＮＩＮＪＡが、なぜ満員電車に乗るんですか？」

「修行のためだよ」

「……………」

ジョーカーは、あまりに厳しい修行に、思わずつぶやく。

「東洋の神秘ですね」

ＲＤは、システムにまちがった情報が入ってこないように、集音マイクを切ろうと思った。

その前に、クイーンが質問する。

「ＲＤは、どうする？　久しぶりに、倉木(くらき)博士のところに里帰りするかい？」

「そうですね。お盆(ぼん)の時期とタイミングが合えば、顔を出してきます」

倉木博士というのは、ＲＤシステムを開発した博士――ＲＤの母親である。

「ゆっくり親孝行してくるといいよ」

クイーンのウィンク。

「さぁ、日本行きの準備をしなくちゃ！　忙(いそが)しくなるぞ！」

『要求貫徹(かんてつ)』と書かれた幟(のぼり)を持ち、自室に引き上げるクイーン。

船室(キャビン)に残されたジョーカーは、ＲＤにきく。

「ＲＤ――」

「なんですか？」

「ぼくらは、日本へ行くことになった。これは、ぼくらの意思で決めたことなのかい？　それとも、誰(だれ)かに決めさせられたのかい？」

「……わかりません」

STAGE04　落書きの意味、そして舞台は虹北商店街へ

夏なんだから当たり前なんだけど、朝から暑い……。

太陽は、遠慮することなくギラギラしているし、空気は火傷するんじゃないかと思うほど熱されている。

さて、夏休み――。

なのに、なぜ早起きしてるか？

ラジオ体操をするためじゃない。そんなものは、小学校と同時に卒業している。

補習があるのだよ！　三日間も！

厳しい暑さから子どもたちを守るために休みにしましょうっていうのが、夏休みの意義じゃなかったかな……？　だったら、補習したらダメでしょ！

この疑問をお母さんに言うと、

「それなら、補習免除になるだけの成績を取りなさい」

と、会話が続かない言葉が返ってきた。

まぁ、いいか。補習といっても、三日で終わる。ずっと続くわけじゃない。そうしたら、完全に自由な夏休みだ！

ワクワクした気持ちで、お母さんの作った朝ご飯を食べる。

キュウリのぬか漬け――小学生のときは食べられなかったのに、今は、ぬか漬けだけで何杯もご飯が食べられる。

おかわりするため、お茶わんを出そうとしたとき、お母さんが口を開く。

「昨日、夏期講習に行った塾に、正式に申しこみしておいたから」

「…………」

「とりあえず、今日は午後三時から八時まで。あとは、週に二回だからね。夕ご飯の予算は、三百円以内。栄養が偏らないように、気をつけてね」

目の前に、百円玉が三枚置かれる。

――えーっと……。

わたしは、今の状況を分析するために、ここまで書いた文章を訂正する。

〝完全に自由な夏休み〟は、〝不完全で不自由な夏休み〟に書き換えないとね。あと、〝ワクワクした気持ち〟は、〝重りをつけたような気持ち〟のほうが合ってるかもしれない。

「ぬか漬け、おいしいね」

笑顔で言うんだけど、わたしは涙をごまかすのに必死だ。


学校への道――。

「お互い、つらいよね」

そう言うと、わたしの隣で、内人が言う。

「ぼくも、母さんに言われたんだ。正式に申しこんだから、今日から行けって」

ため息をつく内人。

「でもさ……わたしたちのことを思って、塾に行かせてくれるんだから、感謝しなきゃね」

わたしは、棒読みにならないよう、気をつけて話す。

「それに、塾があるっていっても、三時からだし……。それまでは、夏休みを楽しもうよ」

「そうだな」

まだ朝だというのに、夏の太陽は、容赦ない。

わたしと内人は、〝負けるもんか！〟という気持ちだけを武器に、歩き続ける。

「そういや、今朝のニュースでやってたけど、ナスカ高原で新しい地上絵が見つかったみたいだね」

ふ〜ん、そうなんだ。

ナスカ高原って、たしか南アメリカだ。そんな遠いところで地上絵が見つかっても、わたしには関係ない話だ。

興味ないので、地上絵の話は、これで終わってしまう。

それより意外なのは、内人がニュース番組を見てるってこと。元いた世界の内人は、もっぱらアニメや映画専門の人だったのに——。

「ニュースって、おもしろいの？」

わたしがきくと、内人が腕を組む。

「うーん……。おもしろいわけじゃないけど、いろいろ情報集めたいしね」

そうなんだ。

内人が、少し眩しく見える。なんだか急に大人っぽくなったようだ。砦を作って秘密基地ごっこしてるくせにね。

「それで、内人と創也君は、砦にこもって何やってんの？」

わたしの質問に、内人はため息といっしょに答える。

「いろいろやってるんだ。でも、そのやってることが、将来につながるのかはわからない」

「でしょうね……」

いろんなことが、わたしたちを押しつぶそうとしている。


学校へ行くと、昨日よりもにぎやかだった。

——何、なんなの？

「また、落書きが現れたのか……」

そうつぶやいて、内人が昇降口に走る。わたしも、後を追う。

でも、昇降口は静かだった。騒ぐ声は、左のほうから聞こえる。

「校庭よ！」

わたしたちの学校は、校庭より高い位置に校舎がある。校庭と校舎の間には、階段状の傾斜があり、生徒は観客席として使っている。

その観客席に、たくさんの生徒がいて、校庭を見ている。

わたしも内人も、校庭を見る。

そこには、まるでナスカの地上絵のように、落書きが描かれていた。白線引きで描かれた落書き。

まったく、意味を持っていない線が、さまざまな方向に引かれている。白線引きを持って、めちゃくちゃに校庭を走れば、こんな落書きができる。

「なんだ、これ……。イミフ?」

内人がつぶやく。

意味不明といえば、たしかに〝イミフ〟だろう。そんなことを思っていると、わたしたちの横で声がした。

「世の中に、意味不明なものはない。もし、意味不明だと思うのなら、それは、意味を見つけられていないだけだ」

とても上から目線のセリフ。

声のほうを見ると、創也君が立っている。

わたしは、小声で内人に言う。

「創也君も、補習受けないといけないんだ。案外、成績悪いんだね」

すると、内人が哀れむような視線を向けてくる。

「あいつは、補習免除に決まってるだろ」

……やっぱり、そうなんだ。

あれ？　だったら、どうして学校に来てるのよ。

不思議に思っていたら、内人が勝手に説明してくれる。

「補習受けなくていいのなら、家で寝ていたらいいのに……。わざわざ学校に来るなんて、どんだけ寂しがり屋なんだよ」

そうか、創也君は寂しがり屋さんなんだ。

内人が、校庭の落書きを指さす。

「創也、おまえには、この落書きの意味がわかるのか？」

「………………」

創也君は答えない。

わたしの耳元で、内人がささやく。

「創也は、とっても負けず嫌いなんだ。だから、わからないことがあっても、素直に『わからない』と言えないんだ」

わたしの頭の中で、

「創也君はね、わかってないんだ本当はね。だけどプライドが高いから、『わからない』って言えないんだよ。おかしいね、創也君」

と、歌声に変わる。

それをかき消すように、どなり合う声が聞こえる。

「いったい、あなたたちは何を考えてるの！」

「おれたちじゃない！」

生徒会とクラブ連合がにらみ合っている。

「昨日に続いて落書きするなんて――。もう、いたずらじゃすまされないわ」

生徒会長の森山さんが、クラブ連合代表の芝原さんに詰めよる。

「言いがかりだ！　校庭は、多くの運動部が使うんだぞ。あんな落書きするはずがない！　練習できないだろ！」

芝原さんが言い返す。説得力のある言葉だ。

「たしかに、芝原さんの言うとおりだ。この落書きは、クラブ連合が描いたものとは思えない」

わたしと同じように感じたのか、創也君が言う。

「じゃあ、誰が――」

内人が口をはさむ。

「…………」

創也君が口を閉(と)ざす。

わたしの頭の中で、さっきの曲がリフレインする。

生徒会とクラブ連合の言い争いは、だんだん激しくなっていく。どうなることかと思っていたら、先生たちが間に入って、ようやく静かになった。

「さぁ、補習を始めるぞ。早く教室に入れ」

先生に促(うなが)され、わたしたちは、ぞろぞろと校舎内へ。

創也君が、わたしと内人に言う。

「どうやら、事件は第二段階を迎(むか)えたようだね。これからぼくは、図書室へ行って、いろいろ考えてみるよ」

おお、なんと頼(たの)もしいセリフだ。

「きみたちは、補習をがんばってくれたまえ」

「…………」

なんて、嫌味(いやみ)なセリフだ……。

お昼前、ようやく補習が終わった。

自由になったという解放感より、疲労感(ひろうかん)のほうが大きい。おまけに、今日は夏期講習もあるし――。


校庭のほうへ行くと、すでに落書きは消されていた。補習の間に、先生たちが消したようだ。

陸上部や野球部が用具を出し、練習の準備を始めている。

「内人、朝の落書き、覚えてる？」

わたしの質問に、内人は首を横に振(ふ)る。

「無理だよ。短い時間しか見てないからね」

図書室から来た創也君が、口をはさむ。

「あの落書きは、ラインカーを引っ張りながら適当に走って描(か)いたものだよ。落書き自体に意味はない」

「じゃあ、どうして描いたんだ？」

内人がきいた。

フッと笑う創也君。

近くにいた女子数人が、歓声を上げる。……モテるなぁ、この人。

キャアキャア言う女子と、うらやましそうな表情の内人を無視し、創也君が言う。

「意味があったのは、〝落書きの内容〟ではなく、〝落書きをすること〟だったんだよ。だから、あんな意味不明な落書きでよかったのさ」

なるほどと、うなずく内人。

「で、誰が、そのイミフの落書きを描いたんだ?」

すると、創也君は肩をすくめる。

「特定するには、データが少なすぎる」

わたしの頭の中で「創也君はね、わかってないんだ本当はね。だけどプライドが高いから～」という歌が再生される。

「さて、夏休みに入った。きみたちの補習も、あと二日で終わる。これから砦に行って、夏休みの計画を立てようじゃないか」

創也君の顔が、輝いている。いつものクールな雰囲気じゃない、とっても子どもっぽい笑顔だ。

「あっ! わたしと内人、この後夏期講習があるの。だから、あんまり時間ないかも……」

わたしが言うと、創也君が、ハッカのドロップを口に入れたような顔になった。

あわてて、付け加える。

「でも、夏期講習は三時からだから――。それまでは、大丈夫よ」

すると、内人が意外なことを口にした。

「ぼくは、ダメだな。今日は、これから用事がある」

なんですと？

「なんなの、用事って？　まさか、別の塾の夏期講習とか？」

「ぼくの母さんも、そこまで鬼じゃないよ。ちょっと……人と会う約束があるんだ」

この言い方に、わたしの耳がピクンと反応する。

「どんな人？」

わたしは、内人のまわりをグルグル回りながらきく。

内人が、わたしのほうを見ないようにして答える。

「どんなって……中学一年生で、小説を書いてる子だよ」

「ふ～ん。その子って、うちの学校？」

「いや、虹北学園の中等部だ」

虹北学園というのは、隣の町にある大きな学校だ。中等部と高等部があり、自由な校風を売りにしている。

「男子？」

「……女の子だよ」

観念したように、内人が言った。

「そうなんだぁ」

わたしは、創也君と顔を見合わせる。創也君は、笑いをこらえるのに必死という顔をしている。

一つせき払いして、内人が真剣な顔で、わたしを見る。

「令夢、ぜったいに来るなよ」

「行くわけないじゃない。わたし、人のデートをじゃまするほど、性格悪くないわよ」

「デートじゃないから！」

まわりの人が振り向くぐらいの大声で、内人が言った。あわてて、声を小さくする内人。

「昨日、八月末締め切りの小説を書いてるって言っただろ。彼女も、虹北学園の文芸部で、その賞を狙ってるんだ。だから、情報交換しようって……」

わたしは、「わかってる、わかってる」と言うように、内人の肩をポンポンと叩く。

「どこで会うの？」

「なんで教えないといけないんだ？」

——そりゃそうだ。

「じゃあ、あとは若い二人に任せますかな」

そう言って、わたしと創也君は内人のそばから離れた。


公衆電話から、家へ電話する。

「ちょっと早いけど、このまま夏期講習へ行くね。お昼は、適当に何か食べるから」

そう言うと、お母さんは、うれしそうに「がんばって」と言った。嘘はついてない。ただ、夏期講習が始まる前に、ちょっと寄り道するだけだ。

というわけで、わたしは今、黒塗りの高級車の後部座席に座っている。これは、昨日、砦の前に停まっていた車だ。

隣には、創也君。長い足を組み、リラックスした感じで座っている。

運転席には、卓也さん。無口で怖い印象があるけど、悪い人じゃないと思う——だからといって、いい人とは限らないけどね。

「今、内藤様は、駅前のほうへ向かっています」

ゆっくり車を走らせる卓也さん。こんな目立つ車で尾行しても気づかれないのは、卓也さんの運転技術が優れているからだ。

「ありがとう、卓也さん。——この先、どこへ行きそうか予測できるかな?」

後部座席から、創也君がきいた。

「少しお待ちください」

卓也さんが、カーナビを操作する。古い車だけど、エンジンや装備は、最新のものを入れてるみたいだ。

「中学生男子が向かうとすれば、九十パーセントの確率で、虹北商店街ですね。商店街の中には、十を超える飲食店があります。内藤様の日頃の飲食傾向から考えると、行きそうな店は——」

また、卓也さんの指が、ナビの画面を触る。

「お好み焼き屋『一福』です」

拍手する創也君。

「すばらしいね。そのカーナビ、竜王グループが倉木博士と開発した特製品だろ？　一般に販売しないのかい？」

「これは、わたしが〝クソ生意気な中学生〟二匹を捜すために、わざわざ作ってもらったものですからね。需要はないと思われます」

卓也さんの言葉に、〝クソ生意気な中学生〟の一匹が、フンと鼻を鳴らした。

車は、虹北商店街の駐車場に向かう。

「創也君、質問していい？」

わたしが言うと、

「何かな？」

優しい笑顔が返ってきた。

「内人と創也君は、砦で何をしてるの？」

「………」

困ったなと言うように、創也君が腕を組んで考える。

「答えてもいいけど——笑わないかい？」

わたしは、ぜったいに笑わないという強い決心をこめて、うなずく。

「ゲーム――ぼくらは、究極のゲームを作ってるんだ」

わたしは少し驚く。

「なんだか……意外。内人もそうだけど、創也君がゲームを作りたいなんて……」

「谷屋令夢様。よろしければ、思いっきり笑ってやってください」

運転席から、卓也さんが口をはさむ。

笑う気にはならない。それどころか、将来やりたいことを、こんなにもはっきり持ってるなんて、尊敬できる。

「うん、すごいよ。創也君、すごい！」

ついでに、内人もすごい！

すると、創也君はホッとしたように肩の力を抜いた。

STAGE05　お好み焼き屋『一福』で一服、一人は偉大な挑戦者

虹北商店街は、昔からある大きな商店街だ。いろんな店が入っていて、生活に必要なものは、ここですべて揃うと言われている。

土日はもちろん、平日も大にぎわいで、ことあるごとにテレビ局が中継に来たりもしていた。

――というのが、お母さんが子どものころの話だそうだ。

今の虹北商店街は、不況の大津波に襲われたり、郊外に巨大商業施設ができたりして、見る影もないぐらい寂れている。

シャッターを下ろしている店も多く、お客の代わりに、閑古鳥が襲来している。

車を降りたわたしたちは、商店街を歩く内人をつける。お客さんが、ほとんど歩いていないので、見失うことはない。逆に、見つからないようにするのが難しい。

わたしと創也君は、看板やジュースの自動販売機に隠れながら、尾行を続ける。

お好み焼き屋『一福』が見えてきた。

なのに内人は、店に入らず、手前の駄菓子屋に入った。

あれ？

わたしと創也君は、顔を見合わせる。ナビによると、『一福』に入るって話だったのに……。

抜き足差し足で駄菓子屋に近づき、店の前に置かれたガチャガチャの陰から中を見る。

銀玉鉄砲や紙風船などのおもちゃや、色とりどりのお菓子。天井から吊された奴凧や、縄跳びのロープ。

それらに溶けこむような感じで、おばあさんがパイプいすに座っている。

内人は……どこにも見えない。

わたしたちは店に入る。

「いらっしゃい」

おばあさんの優しい声が、わたしたちを迎えてくれる。

「今、中学生の男の子が入ってきませんでしたか？」

創也君がきいた。

「ここにいるよ」

おばあさんの後ろから、内人が現れる。

「何、隠れてんのよ！」

わたしが文句を言うと、

「そっちだって、こそこそ隠れてついてきたじゃないか」

もっともな反論をくらってしまった。

ため息をつく内人。

「令夢、言ったよな。『人のデートをじゃまするほど、性格悪くない』って──。あれは、嘘か？」

「嘘じゃないよ。だって、内人も言ったよ、『デートじゃないから』って──。デートじゃないから、わたしたちがついてっても、文句ないでしょ」

わたしの、もっともな反論に、内人は何も言い返せない。

創也君が、内人の肩をポンと叩く。

「令夢君の勝ちだね」

『一福』の店内は、そう広くない。

鉄板のついた四人がけのテーブル席が六つ。あと、カウンターに丸いすが八つ。昼食時なのに、お客さんは誰もいなかった。

「じゃまするなよ」

店に入った内人が、わたしをにらんでくる。

「じゃましないよぉ～」

わたしは右手をヒラヒラ振り、創也君と店の奥のテーブル席へ座る。

内人は、入り口近くのテーブル席だ。

「いらっしゃい」

小太りの男性が、注文を取りに来た。高校生ぐらいだろう。アルバイトにしては慣れてる感じだから、店主の息子さんかもしれない。

わたしは、壁に貼ってある、油で汚れたメニューを見る。予算の関係もあるから、いちばん安いイカ玉を注文。創也君は、ミックスという高いものを頼んだ。わたしは、日本の経済格差というものを実感する。

内人が何を頼むか注意してたら、「待ち合わせの相手が来てから注文します」という声。なかなか、紳士的じゃないの。

「どんな子が来るのかな?」

小声で、創也君にきく。

「ものすごく本が好きで、まわりに読む本がなくなってしまったから、文芸部に入り自分で小説を書くようになった。でも、自分の書いたものがおもしろくない。文芸部員に相談しようと思ったが、自分と似た作風の人間がいない。そんな中で、内人君を見つけた。――こんな感じの子が来るんじゃないだろうか?」

うなずきながら聞いていたが、はっきり言って、どんな子が来るのか想像できなかった。

すると、『一福』の戸が開いた。

四人の人が立っている。女の子が三人、背の高い男の人が一人。よく見ると、女の子三人は、そっくりの姿形をしている。わたしは、『まちがい探し』のゲームを解くつもりで、三人を見た。

結果、髪型(かみがた)以外にちがいを見つけることができなかった。

「じゃましないでよ」

髪を結んでいない女の子が言った。

「じゃましないよぉ~」

ポニーテールとツインテールの女の子が、右手をヒラヒラ振(ふ)る。わたしは、二人に親近感を覚える。

髪を結んでいない女の子は、ほかの人たちをにらみつけてから、内人の前に座った。

おお、あの子が、内人のデート（ではなく、打ち合わせ）の相手！

ほかの女の子は、キャピキャピしながら、店の奥へ。カウンターのいすに座る。

そして、残った背の高い男の人。なんていうんだろう……奇妙な人だ。

特徴は、背が高いうえに痩せているってこと。針金で作った人形みたいだ。そして、全体的に黒い。黒背広の上下に、黒いサングラス。オールバックの黒髪。

はっきり言って、怪しい。もう少し詳しく言うと、ものすごく怪しい。あまりお近づきになりたくない雰囲気を、全身から放っている。

男の人が、ふらりと、入り口近くのカウンターに着く。壁に貼られたメニューを端から端まで見わたし、ボソッと注文した。

「イカ玉を一つ、お願いします」

それはまるで、将棋の名人が第一手を指したような緊張感を持った言葉だった。

いやいや、こんな怪しい人を観察してる場合じゃない。

標的は、内人と、その相手！

わたしは、二人の会話を聞こうと、意識を集中する。

二人は、ブタ玉（イカ玉より、少し高い）を注文すると、さっそくノートをカバンから出し、何か話し始めた。

「受賞作の傾向」とか「キャラ設定」とかいう単語が聞こえる。

わたし、好きな本や書いてる小説の話を仲よくするんだろうと思ってたんだけど、かなりちがう。

――この二人、真剣に賞を狙ってる。

そう思った。

この後も、もっと集中して二人の話を聞きたいんだけど、目の前の光景が、それを許してくれない。

わたしの前に座っている創也君。彼が、こんなに不器用だったとは……。

生地とキャベツが入ったどんぶりを持つと、まず蘊蓄を語り出した。

「これを混ぜすぎるとおいしくないんだ」

箸を持って混ぜ始める創也君。飛び散る生地。

「空気を入れるようにして、ざっくり混ぜるとおいしくなるよ」

いや、そんなことより、手元に神経を集中してくれ。どんぶりから飛び散った生地が鉄板に落ち、ジュッ！　と音を立ててるじゃないか。

「かき混ぜたタネを、鉄板に落とす。二十センチくらいの高さから、ゆっくり落として、こんもり盛り上がるようにするんだ。広げすぎちゃダメだよ」

〝ゆっくり〟と言ったくせに、ぼたりと一気に落ちるタネ。見苦しく、広がる。

わたしは、自分のイカ玉に被害が来ないよう、注意する。

「次に、空いているスペースで、具材を焼く。焼きすぎないように注意して、片面を焼く。そして、焼き面を下にして、本体に載せる」

ミックスの具材は、イカと豚肉とエビ。銀色のコテを使い、それらを軽く焼いて本体に載せようとするのだが、まず、コテに載せることができない。何度も鉄板の上に落ちる具材。

なんとか本体に載せ終えたときには、かなり焦げていた。

創也君のほおを、汗が流れる。それは、鉄板が熱いためではないような気がする。

「いよいよ、ひっくり返す！　低い位置で手首をうまく使えば、きれいに返すことができる」

銀のコテをお好み焼きの下に差しこむ創也君。

「はっ！」

自分で「低い位置で手首をうまく使えば」と言ったのに、なぜか「高い位置で手首を下手に使う」創也君。当然、うまくひっくり返らない。無残に、ちぎれる。そして、ちぎれた部分は、わたしのお好み焼きに合体、融合、一体化。

「よかったら、食べてくれたまえ」

そう言われたけど、具材が焦げたお好み焼きがひっついてきても、あまりうれしくない。

その後も、何か言いながらコテを使ってたけど、わたしは聞かないようにした。

自分のお好み焼きを完成させることと、内人たちの会話に集中。

するとまた、その集中をじゃまする音がした。

ガラガラガッシャン！　と、何かが盛大に割れる音。

「まったく、もう！　何やってんだい！」

年配の女性のどなり声。続いて、

「すみません、すみません！」

と、謝る声。こちらは、若い女の人みたい。

「春男！　あんたが連れてきたバイト、なんとかしてよ！」

年配の女性の声。小太りの男の人が、あわてて厨房に駆けこむ。

「何があったのかしら？」

わたしは、お好み焼きを焼きながら、つぶやく。

「春男君は、この店の跡取りなんだろう。夏休みに入り、友達がバイトさせてほしいと言ってきた。OKしたものの、そのバイトの子は、ミスが多い。店主——春男君のお母さんは、頭に来て、春男君を厨房に呼んだ。——こんなところじゃないかな」

なるほど。とてもわかりやすい解説だ。

厨房から聞こえてくるどなり声は、ますます激しくなる。

「昨日と今日で、どれだけ皿を割ったと思ってんだい！　バイト代払うどころか、皿代払ってもらわないと、困るわよ！」

「まぁまぁ、彼女も反省してるし、一生懸命やってるんだから……」

取りなしてるのは、春男君だ。

「はい、反省してます！　お皿を割った分は、一生懸命やって返します！」

若い女の人が謝り、次に聞こえてきたのは、深いため息。

春男君が戻ってきた。わたしたちを見ると、苦笑い。

「すみません……。にぎやかで……」

わたしたちも、苦笑いで返す。

ようやく完成したお好み焼きに「いただきます」と手を合わせ、食べようと思ったら、

「わきゃ〜！」

という、厨房からの悲鳴。

何事？

みんなの視線が、厨房に向く。すると、お皿が三枚、宙を飛んできた。

——お皿を持っていたバイトの子が、つまずいて転ぶ。そのとき、手から離れたお皿が店のほうへ飛んできた。

状況は、想像できた。でも、今大事なのは、想像することじゃない。飛んでくるお皿に、どう対処するかだ。

なんてことを考えてる間にも、お皿は、わたしのほうへ向かって飛んでくる。

覚悟を決めたとき、パシッと皿をキャッチする者がいた。

カウンターに座っていた、ポニーテールの女の子だ。飛んでくる皿を次々とキャッチし、カウンターの上に積み上げた。

「おお〜！」

わたしたちは、思わず拍手する。

「すごい運動神経ね」

感心するわたしに、ポニーテールの子は、照れくさそうに頭をかく。

「まぁ、三つ子の中では、わたしがいちばん足が速くて運動神経がいいからね」

――三つ子！　どうりで似てるはずだわ。

「でもいいわね。わたし、小一のときから、徒競走で一等になったことないわ」

わたしが言うと、ポニーテールの女の子が胸を張る。

「わたし、岩崎真衣。次女。こっちが、三女の美衣」

真衣ちゃんが、ツインテールの女の子を手で示す。

「こんにちは」

ペコンと頭を下げる美衣ちゃん。

「そして、あっちでデートしてるのが、長女の亜衣ね」

「デートじゃないから！」

内人の前に座っていた女の子が、すかさず振り返る。なんて、耳がいいんだ……。

わたしも、自己紹介する。

「谷屋令夢、中二。こちらは、同級生の竜王創也君」

「はじめまして。竜王創也です」

創也君のワインレッドの眼鏡が、キラリと光る。そうか、こうして女性ファンが増えていくのか。

「で、向こうでデートしてるのが、内藤内人ね」

「デートじゃないって、言ってんだろ」

すかさず文句を言う内人。あんた、もっとデートに集中しなさい。

これで、自己紹介は終わり。真衣ちゃんと美衣ちゃんが、いすを移動させて、わたしたちのテーブルに来る。

「あっと、忘れてた」

美衣ちゃんが、手をポンと叩く。

「教授の紹介してなかった」

「いいんじゃない、教授は……」

真衣ちゃんが、首を横に振る。

――二人が言ってるのは、あの背の高い男の人のこと？　教授って……？

「あのね、教授はうちの隣に住んでいて、夢水清志郎っていうの。『夢水さん』って言うと、『名探偵さん』って呼んでくれって、うっとうしいの。でも、なかなか『名探偵さん』なんて呼べないよね。だから『教授』って、呼んでるの」

「どうして、『教授』なの？」

「大学で、論理学の教授をやってたんだって」

美衣ちゃんが説明してくれた。

「ぼくは、大食い選手かと思ったよ」

創也君が、口をはさんだ。たしかに、夢水さん——いや、教授は、延々と食べ続けている。イカ玉とブタ玉を食べ終え、今、エビ玉を完食するところだ。

「海鮮ミックスを、お願いします」

教授が、追加注文をする。たしかに、論理学の教授というより、大食い選手だ。

「でも、いいところもあるんだよ。今度、『オムラ・アミューズメント・パーク』に連れていってもらおうと思ってるんだ」

美衣ちゃんが、顔を輝かせる。

『オムラ・アミューズメント・パーク』というのは、Y市にオープンする遊園地だ。

「まぁ、働いてないんだから、それぐらいしてくれてもいいよね」

うなずきあう、真衣ちゃんと美衣ちゃん。

わたしと創也君は、教授という人間を理解した。

そして、美衣ちゃんが、注文したおみくじお好み焼きを焼き始める。

「やった、大吉(だいきち)！」

お好み焼きの中から出てきた、小さく折りたたまれた紙を広げ、大喜びする美衣ちゃん。

「あんな紙が入ってるなんて、異物混入食品なんじゃない？」

わたしの言葉に、真衣ちゃんが言う。

「いいのよ、おみくじお好み焼きなんだから。令夢さん、おみくじ知らないの？」

わたしは、あいまいに微笑(ほほえ)んでごまかす。

それより、内人と亜衣ちゃんの様子を観察せねば——。

……なのに、またじゃまが入る。

『一福』の戸が勢いよく開けられ、女の人が入ってきた。高校生ぐらいかな？　ショートカットのかわいい人。目も大きくて、街を歩いてたら「読者モデルやりませんか？」とスカウトされそうな人だ。

なのに、今は怒(いか)りが表情に出ていて、スカウトも逃(に)げ出(だ)しそう。

カウンター席に着くと、大きな声で春男君に注文した。

「ミックスの裏メニュー！」

厨房に飛びこみ、ミックスの裏メニューの入ったどんぶりを持ってくる春男君。

「どうしたんだ、野村？　ものすごく怒ってるように見えるけど……」

春男君にきかれても、答えない。素早くタネを混ぜ、熱々の鉄板に落とす。裏メニューを注文するだけあって、手際がいい。

女の人が話し始めたのは、裏メニューを半分ほど食べてからだった。

「聞いてよ、春男君！　まったく、ひどいんだから！」

その後、また裏メニューを食べ、また話し、また食べ、追加注文の繰り返し。そのたびに話がとぎれるので、まとめると——。

女の人の名前は、野村響子。春男君と同じ高校二年生。お父さんは、虹北商店街振興会の会長さん。最近、商店街で店を閉めてシャッターを下ろしている店が多い。そして、そのシャッターに、落書きがされているというのだ。

「たしかに、落書きするやつらには、腹が立つよな」

響子さんの話に、春男君が、うんうんとうなずく。それは、共感しているというより、うなずいておかないと、危険だと思ってるようだ。

「そりゃ、落書きするやつらには、見つけ次第、わたしの左フックを叩きこんでやろうと思ってるわ。でも、お父さんにも腹が立つのよ！」

裏メニューを、コテで真っ二つにする響子さん。

「お父さんは、振興会の会長なのよ。もっと、落書き対策に真剣にならないと！　なのに、防犯カメラを増やそうとしないし、落書きを消そうともしない！　ダメでしょ！」

「そりゃダメだな」

春男君が、裏メニューの追加を持ってくる。

裏メニューを焼きながら、響子さんが言う。

「そして、いちばん頭に来るのは恭助よ！」

――恭助？

新しい登場人物だ。

「そういや、あいつは帰ってきたのか？」

春男君の質問に、響子さんは首を横に振る。

「この間、南アメリカにいるっていう手紙が来たけど、それっきり」

話し方から、恭助っていう人は、響子さんの恋人みたい。そして今は海外旅行中で、こういうときに頼りになりそうな人――。

いやいや、こんな情報を集めてる場合じゃない。

内人たちの様子を見張らねば！

二人のテーブルへ顔を向けようとすると、ポンと頭にノートが載った。

「打ち合わせが終わった。夏期講習に行くぞ」

内人が立っている。

テーブルのほうでは、亜衣ちゃんがカバンに荷物を入れている。

「えっ、もうそんな時間？」

壁の時計を見ると、たしかに、急がないと夏期講習に間に合わない。

わたしは、鉄板に残っているお好み焼きをほおばる。

こんなときでも、創也君は、あわてず優雅にコテを使っている。彼には急ぐ理由がないから、優雅に食べていたらいいんだけどね。

「じゃあね、岩崎さんたち。また、会いましょ！」

店を出るとき、教授にも頭を下げる。

お好み焼きでほおをふくらませた教授が、コテをシュタッと上げて、別れの挨拶をした。

STAGE06　名探偵集合？　わたしの秘密がバレるけど、まぁいっか

夏期講習の塾は、商店街を抜けて五分ほど歩いたところ——駅前にある。

駐車場に向かう創也君といっしょに歩きながら、わたしは内人にきく。

「打ち合わせ、うまくいったの？」

「まぁね。がんばろうっていう気持ちになったよ」

「あの子——亜衣ちゃんは、どんなの書くの？」

「SFミステリーって、いうのかな。かなり、独自のものだよ」

「上手？」

内人が、黙ってうなずく。

「はっきり言ってショックだったよ。自分より年下の女の子が、あのレベルの作品を書くんだからね」

「…………」

「あと、彼女に教えてもらったんだけど、ほかにも、すごいSFを書く子がいるんだって。山村風太っていう六年生。彼女の従姉妹も、まだ小さいけどプロ作家を目指してるって――」

ライバルだらけの現状に、ため息をつく内人。

創也君が口を開く。

「そういうときは、『ライバルが多くてワクワクするよ』と、不敵に笑うもんだよ。それに、きみが書くものは、きみにしか書けないものだ。才能がないとか文章が下手だとか、現実に押しつぶされてないで、とにかく書きたまえ」

これは、励ましているのだろうか？　また、内人がため息をつく。

わたしも、励ましてやろうじゃないか。

「書けたら、読ませてね」

すると返ってきたのは、フルマラソンをするゾンビに会ったときのような顔だった。

「はぁ？　何言ってんだよ。前に『読んでくれ』って言ったら、『丁重にお断り』って言ったのを忘れたのか？」

へ？

「『どんな哀しい場面でもまじめな場面でも、内人が書いた作品だと思うと、ぜったいに笑えてくるから無理！』——この言葉に、ぼくがどれだけショックを受けたか」

そうか、この世界では、そんな過去があったのか……。

わたしたちのやりとりを、創也君は笑って聞いている。

商店街の駐車場。

「少し、話したいことがある。夏期講習が終わったころ、迎えに行くよ」

黒塗りの大型車に乗る創也君と別れる。

小走りで塾に向かいながら、内人にきく。

「今度は、いつ亜衣ちゃんと会うの？」

「二日後——。それまでに、ある程度の枚数を書いて、見せ合う約束なんだ」

「連絡は？」

「ＬＩＮＥ交換したから——」

「ふ〜ん」

学校は、スマホ持ちこみ禁止。でも家に帰ってからは、いろんな連絡を取り合うのに、わたしたちはスマホを活用しまくっている。

すると、内人が、ピタッと足を止めた。

「あのさ……ひょっとして、妬いてんのか？」

「はぁ？」

わたしは、思わず大声を出していた。

「妬いてる？　誰が？　誰に？」

「だから、令夢が、ぼくと岩崎さんに——」

「………」

わたしは、なんと言っていいかわからず、信号機のわきにある『熱中症指標表示板』を指さす。そして、内人の額に手を伸ばす。

「かなりヤバいわね。早く、涼しいところへ行ったほうがいいわ。脳が溶けてるレベルの暑さよ」


夏期講習は、まったく中身が頭に入ってこないまま終わった。

外へ出ると、太陽は見えなくなってたけど、まだモワッとする熱気が街によどんでいる。

「お疲れ様」

塾の前の歩道——ガードレールに、創也君がもたれている。

その横には、卓也さんが立っている。気配を殺してるんだろうけど、ものすごく目立ってる。

「あれ？　ダッジ・モナコは？」

内人が、あたりを見回す。

ダッジ・モナコというのは、卓也さんが運転する黒塗りの大型車のことだそうだ。『車』と言わず、わざわざ『ダッジ・モナコ』と言うところが、男の子ね……。

「商店街の駐車場。この辺には、駐車するところがないからね」

創也君の言葉どおり、道路は、塾帰りの子どもを迎えに来た車であふれている。そして、それらを取り締まる警官とパトカー。

わたしたちは、人混みを避けるようにして商店街へ――。アーケードの下に入ると、さっきまでにぎやかだったのが、嘘みたいに静かになる。

――こんなに活気がないなんて……。大丈夫なのかな、虹北商店街。

ほとんどの店が営業時間を終えている。だから無理ないかもしれないけど、なんだか、人類滅亡後の世界に来てしまったみたい。

そして、下ろされたシャッターには、スプレーでの落書きが目立つ。英語……というより、ローマ字？　アルファベットで書かれた単語に、星などのイラスト。

『落書き』以外の言葉が見つからない。

「これって、描いてる人は『芸術』とか思ってるのかな?」

わたしのつぶやき。

「そうなんじゃないかな。ぼくには、とても芸術とは思えないけどね」

内人が、言った。

創也君が、うなずく。

「シャッターの所有者に断りなく描かれてる段階で、犯罪行為だよ。犯人を、きちんと罰する必要がある。それでも芸術と主張したいのなら、それなりの感動を与えてほしい。これらの落書きが与えてくれるのは、ただの不快感だ」

卓也さんは、何も言わない。まったく興味がないようだ。

そんなことを言い合いながら歩いていると、酒屋さんの前に来た。

長いこと営業していないようだ。さびの浮いたシャッターに『李下じいさんのリカーショップ』と書かれているが、その上から、ものすごい量の落書きがされている。

そして、シャッターの前には、汚れたランニングを着た人。

腰まで伸びている髪や小柄な姿から、女性だと思った。でも、よく見ると、若い男の人。そして足下には、薄汚れたリュックが置かれている。

「リュックにしては、背負うためのベルトがついていない。リュックというより、『頭陀袋』だね」

わたしの視線の方向を見て、創也君が口を開く。

「一般的には、『ずた袋』と言ってるけどね。漢字で『頭陀』と書くから、本当は『ずだ袋』というのが正しいんだ。この『頭陀』というのは、梵語の——」

創也君の口は、止まらない。

内人が、わたしに「聞かなくていい」というサインを送ってくる。

わたしが気になるのは、シャッターの前に立っている男の人だ。落書きを見ているんだろうけど、そんなに集中して見るほどのものかな？

すると、男の人の影が動いた。——いや、影じゃない。真っ黒い猫だ。

影の中にいた黒猫が、トトトトトと歩いてきて、わたしの足にすり寄る。ビロードの布でなでられてるような感じ。くすぐったい！

男の人が、振り返って、猫を見た。

「ダメだよ、ナイト。女の子が、困ってるだろ」

驚く内人。

「えっ？　ぼく、何もしてないけど――」

すると、男の人は細い目を、さらに細めて微笑んだ。

「ああ、失礼。内人君のことを呼んだんじゃないんだ。ナイトというのは、その猫の名前なんだよ」

さらに、内人は驚く。わたしも不思議だ。

「どうして、ぼくの名前を知ってるんです？」

「だって、ナイトの名前を呼んだとき、きみが反応しただろ。ということは、きみの名前はナイトということになる」

なるほど。言われてみたら、当たり前の話だ。でも、一瞬でそこまで見抜くなんて、なんて頭の回転が速いんだろう。

わたしは、創也君の顔を見る。当然、ぼくにもわかったよ――彼の顔に、そう書いてある。

男の人が、ナイトを抱き上げる。

「久しぶりに帰ってきたけど、こうも荒れてるとは思わなかったよ」

――帰ってきた？

わたしは、『一福』で聞いた野村響子さんの話を思い出す。

「あの……あなた、ひょっとして恭助さんですか?」

この言葉に、男の人の目が丸くなる。

「……驚いたな。どうして、ぼくの名前を知ってるんだい?」

わたしは何も言わず、謎の微笑みを浮かべる。

「たしかに、ぼくの名前は虹北恭助。……でも、どうしてわかったのかな?」

考えこむ恭助さん。

そのとき、卓也さんが、わたしたちを背後に隠す。

「お気をつけください、すさまじい殺気が迫っています」

一気に空気が張り詰める。

タタタタという足音が、道の向こうから響いてくる。

戦闘態勢を取る卓也さん。しかし――。

「恭助~!」

足音の主――野村響子さんは、わたしたちを無視して、一直線に恭助さんの元へ。そして、彼に向かってジャンプ!

――えっ！　ひょっとして、久しぶりに再会した恋人の抱擁？

わたしは、ワクワクしながら、次のシーンを待つ。

「恭助～！」

空中で、拳を握りしめる響子さん。そして、体重を乗せた右ストレートを打ち下ろした。

バキッ！　という音が、シャッターに反響する。

地面に叩きつけられた恭助さんの体が、大きくバウンドし、酒屋のシャッターに叩きつけられる。

「どこ、ほっつき歩いてたのよ！　帰ってきたんなら、真っ先に連絡しなさいよ！」

倒れている恭助さんの胸ぐらをつかんで、吠える響子さん。

でも、その言葉は、気絶している恭助さんには届かない。

冷静になった響子さんが、わたしたちを見る。

「あれ？　あなたたち、昼間、『一福』にいなかった？」

うなずくわたしたち。

「それより……恭助さん、大丈夫なんですか？」

内人がきくと、響子さんが右手をヒラヒラ振る。

「平気平気。恭助は、小さいころから、わたしのパンチをくらってるからね。打たれ強いのよ」

彼女の言葉どおり、恭助さんが意識を回復して、上半身を起こした。

「ただいま、響子ちゃん」

微笑む恭助さんの頭に、ナイトが飛び乗る。

「李下じいさん、店閉めたんだね」

道に座ったまま、恭助さんが、酒屋さんを見上げる。

寂しそうに、響子さんがうなずく。

「それで、この落書きだけど――」

シャッターを指さす恭助さん。ポップなアルファベットに隠れるようにして、十口10と書かれた落書きを、恭助さんは見ている。

スプレーで書かれたポップな落書きに交じって、目立たないように書かれている。一つの文字の大きさは、三センチ四方ぐらい。注意しないと、見逃しそうだ。

「いつごろ書かれたのか、わかる？」

響子さんは、首をひねる。

「わからないけど……。これがどうかしたの？」

「おかしいと思わないかい？　どうして、『十口10』だけアルファベットじゃないんだろう」

「たしかにそうですね」

口をはさむのは、創也君だ。

恭助さんが、創也君を見る。

「きみは、どう思う？」

創也君が答えようとすると、道の向こうから、にぎやかな声が聞こえてきた。

「なんで、お金持ってないのに、お店に入るのよ！」

「おまけに、メニューを端から端まで食べるし――」

「常識ないのはわかってたけど、ここまでひどいとは……」

女の子の声だ。よく見ると、岩崎三姉妹だ。

「……そういうきみたちも、お金が足りなかったじゃないか」

長い背を折り曲げて、小さな声で自己主張してるのは夢水清志郎さんだ。

「わたしたちは、自分の分のお金は持ってました！」

三姉妹が、声を揃えて言った。

「教授が自分で食べた分を働いて返すのは当然よ！」

「けど、どうして、わたしたちまで働かないといけないの！」

「皿洗いで、手がガサガサよ！　ハンドクリーム、買ってよね！」

すると、夢水さんが遠い目をした。

「ハンドクリームか……。そんなアイスは、まだ食べたことないな」

……どうやら、ハンドクリームを、アイスクリームの一種と思ってるみたいだ。

ギャアギャア言いながら近づいてきた三姉妹と教授が、わたしたちに気づく。

「あれ？　内藤さん、どうしたんです？」

亜衣ちゃんが、内人を見る。その他大勢は、視界に入ってるのだろうか？

「いや、みょうな落書きがあってさ――」

なんて説明したらいいのかわからない内人が、創也君に助けを求める。

「これです」

創也君が、『十口10』の落書きを指さす。

「落書きをする目的は何か？　いたずら、嫌がらせや自己表現、満足感を得るためなど、さまざまなものが考えられます。しかし、共通しているのは、目立たないといけないということです。なのに、この落書きは、目立たないように書かれている。つまり、これは〝落書き〟と言えないのです」

創也君が、名探偵のように推理を披露する。

「なるほど、なるほど」

腕を組んだ夢水さんが、満足そうにうなずき、話に入ってくる。

「〝落書き〟ではないとしたら、なんだと考えますか？」

この質問に答えたのは、恭助さんだ。

「メッセージですね」

創也君も、うなずく。

「すばらしい！」

うれしそうに、夢水さんが手を叩いた。創也君と恭助さんが微笑む。わたしたちは、わけがわからず置いてきぼりだ。

「誰が誰のために書いたメッセージなの？」

亜衣ちゃんが、夢水さんにきいた。

夢水さんは、微笑んで答えない。

わたしと内人は、創也君を見る。響子さんは、恭助さんを見る。

二人は、微笑んだまま答えない。

夢水さんが、『李下じいさんのリカーショップ』を見る。

「廃業した酒屋さんか……。古酒があったら、おいしいだろうな」

——まだ、食欲が衰えてないのか。

みんなのほおを、冷たい汗が流れる。

「さぁ、お腹がすいたから、帰ろうか。帰ったら、江戸風の明石焼きが食べたいな」

夢水さんが、大きく伸びをする。

「何よ、江戸風の明石焼きって！」

「あれだけお好み焼きを食べて、似たような明石焼きを、まだ食べたいの？」

「『一福』で働きながら、盗み食いもしてたじゃない！」

三姉妹に、ギャアギャア言われながら、夢水さんたちが帰っていった。

「わたしたちも、帰ろ。お土産、見せてほしいし——」

響子さんが、ずた袋を持つ。恭助さんの顔が青ざめたが、それは、お土産を買ってきてないからだろう。ナイトが、恭助さんの肩に飛び乗る。

「それじゃあ、みなさん。ごめんあそばせ」

ホホホと、去っていく響子さん。その後に続く恭助さんとナイト。

「ぼくたちも、砦に行こうか」

創也君が言った。


砦のソファーに、わたしと内人が座る。その前に、創也君が紅茶のカップを置く。卓也さんは、表に停めてある黒い車の中。

紅茶はおいしく、砦の雰囲気はいいいんだけど……。

わたしは、なんだか不思議。

今、砦にいるのは、創也君に「話したいことがある」と言われたから。なのに、全然それらしい話をしない。さっきから話題になってるのは、一学期にあった校外学習や期末試験のこと。むだ話にしか思えない。

これが、創也君が話したかったことなのだろうか？

内人も不思議に思ってるのか、会話をしながら、ときどき困ったようにわたしを見る。

「あのさ、創也……。ぼくら、そろそろ帰るよ」

内人が立ち上がる。わたしも、それに続く。

引き止めるかと思ったら、創也君も立ち上がった。

「ああ、ずいぶん遅くまで引き止めてしまったね。卓也さんに、送ってもらうようにお願いするよ」

黒い車の後部座席。まず、内人が乗りこむ。続いて、わたしが乗りこもうとしたら、創也君に止められた。

「令夢君、ちょっと待った」

そして、創也君が、わたしの耳に口を寄せる。

「きみは、どこの世界から来たんだい？」

「…………」

わたしは、彼の言葉に固まってしまう。

どうして……どうして、わたしがスリップしてきたのがわかったの？

創也君が、固まってしまったわたしの肩をポンと叩き、微笑む。

「ごめん、ごめん。引き止めてしまったね」

わたしを後部座席に押しこむと、運転席の卓也さんに言う。

「二人を頼むよ。ぼくは、もう少し砦にいるから――」

「わかりました」

卓也さんが、車を静かに発進させた。

わたしは、座席で腕を組み考える。

――砦でのむだ話。一学期の出来事が話題だった。わたしがスリップする前にいた世界と、細かいちがいがたくさんあった。バレないように気をつけて話したつもりなんだけどな……。

わたしが、この世界の人間でないことを確かめるために、創也君は一学期の出来事を話題にしたんだ。

――いや、待て。ということは、わたしのことを怪しんでいたってことだ。いったい、いつから……？

そんなことを考えていたら、隣にいる内人が、ひじで突いてきた。

「さっきから、黙って何を考えてるんだ？」

「ううん、なんでもない」

「創也に、何を言われたんだ？」

「えっ？」

なんて答えたらいいんだ？

創也君にスリップがバレました——こんなこと、言えるわけがない。

考えた末、わたしは口を開く。

「内人には関係ないことだから」

「ふぅん、そうか」

素っ気なく言って、窓のほうへ顔を向ける内人。

あれ？

窓ガラスに映った内人の顔が、怒ってる。

「ひょっとして……妬いてんの？」

「はぁ？」

大声を出す内人。

「妬いてる？　誰が？　誰に？」

「だから、内人が、わたしと創也君に——」

「バカ言うなよ！　熱でもあるんじゃないか？　夏風邪は、バカがひくっていうからな」

「ひっどい！　わたしがバカなら、内人だって同じじゃない！」

「なんで、ぼくがバカなんだよ」

こんなふうにギャアギャア言い合ってたら、

「青春ですね」

という卓也さんのつぶやきが、運転席から聞こえた。

『青春』という恥ずかしい響きに、わたしと内人は黙りこむ。卓也さんも恥ずかしかったのだろう、耳が真っ赤だ。

窓の外を見たまま、内人がつぶやく。

「明日の夜店、なんだったら創也と二人で行くか？　ぼくは、パスするから――」

へ？

「何、〝明日の夜店〟って？」

わたしがきくと、内人がビックリしたような顔を向けてくる。

「忘れたのか？　最初に、虹北商店街の夜店へ行こうって言い出したのは、令夢だぞ」

「……ああ、そうだったわね」

笑顔を返しながら、頭を高速回転。

――こっちの世界では、夜店が行われるんだ。そして、この世界のわたしは、内人と創也君と三人で夜店に行く約束をした。

うん、ここまではわかった。

「あのさ、どこへ何時に集まるんだっけ？」

わたしの質問に、内人が首をひねる。

「スケジュール、入れてないの？」

「うっかりしちゃって――」

内人が教えてくれたところによると、夕方の六時、虹北商店街入り口に集合とのこと。

わたしは、しっかり頭の中にメモする。

「夜店って、ワクワクするよね。わたし、浴衣(ゆかた)で行こうかな。内人は、どんな格好にするの？

創也君は、何着ても似合うだろうけど、内人はね……。その点を考えて、服を選んでね」

わたしの言葉に、内人がフンと鼻を鳴らす。

「青春ですね」

また、卓也さんがつぶやく。

今度は、耳が赤くなってなかった。

BACKSTAGE　動き出す名探偵と怪盗

月が輝く夜――。

夢水は、洋館の窓際に『美由』と名付けたソファーを移動させて、長い体を横たえた。

開け放たれた窓から入ってきた月の光が、優しく夢水を照らす。

音だけでなく、時間まで吸いこんでしまいそうな夜空。ぽっかり浮かんだ雲を見て、夢水は考える。

――あの雲、焼き芋みたいだな。

その雲は、ゆっくり移動すると、月の前で止まった。

一本のワイヤーが、雲から伸びる。そして、ワイヤーの先をつかんだ人物――。

その様子を見た者がいたら、かぐや姫が月から下りてきたのではないかと思っただろう。

ワイヤーが洋館の上まで伸び、甘い風が吹くと、人物はワイヤーを離した。重力がないかのように、洋館の窓枠に着地する。

月の光に青白く輝（かがや）く銀髪（ぎんぱつ）が、フワリと揺（ゆ）れる。

「Bonsoir（こんばんは）、夢水君。記憶力（きおくりょく）の悪いきみでも、わたしのことは忘れてないだろ？」

夢水が、微笑（ほほえ）む。

「当然です。その赤い服を見れば、名探偵（めいたんてい）でなくとも、あなたが有名な〝あわてんぼうのサンタクロース〟ということはわかります。それにしても、あわてすぎです。季節は、まだ夏ですよ」

「ちが～う！」

悲鳴のような大声が、静かな夜をぶちこわす。

「わたしは、怪盗（かいとう）クイーン！　まさか、忘れてるとは……」

哀（かな）しそうに、首を振（ふ）る。

怪盗――クイーンは、そう名乗った。

スマートフォンが普及（ふきゅう）し、ＳＮＳで多くの人と交流できる現代。予告状を送り、どのような不可能な状況（じょうきょう）でも華麗（かれい）に犯行を成しとげてしまう怪盗など、絶滅（ぜつめつ）したのではないか？

いや、怪盗は生きている。

夜の闇（やみ）に浪漫（ロマン）を感じ、赤い夢の中で生きている子どもがいる限り、怪盗や名探偵がいなくなることはない。

「冗談ですよ、クイーン。ぼくが、あなたのことを忘れるわけないじゃないですか」

寝転んだまま、夢水はクイーンに向かって握手の手を伸ばす。

「…………」

クイーンは、疑わしいと思いながらも室内に降り立つと、夢水の手を握った。

「それで、日本にはなんの用なんです？　ひょっとして、ぼくにシャトー・デスクランを持ってきてくれたとか――」

夢水の言葉に、クイーンは驚く。

「名探偵というのは、じつにたいしたものだ。よく、わたしがシャトー・デスクランを持ってきたとわかったね」

肩から提げていた袋から、シャトー・デスクランのボトルと、ワイングラスを二つ出す。

ソファーに起き上がった夢水は、軽く微笑む。

「当てずっぽうですよ。夏の定番は、ロゼワイン。あなたなら、ロゼワインの中から何を選ぶか考えたとき、シャトー・デスクランが思い浮かんだんです」

「なるほど」

クイーンは、二つのグラスにワインを注ぐと、その一つを夢水に渡した。

「乾杯」

ワイングラスが触れる、チンという音。

「日本に来たのは、二つ目的があったんだ」

本の山を踏まないように移動し、もう一つのソファーに座ると、クイーンは長い足を組む。

「一つは、山之城町の調査。ここには、絵者伝説があるのだが、夢水君は知ってるかい？」

「そんなことより、おつまみがほしいですね」

「………」

ワイングラスを置くと、耳に仕込んだ通信機で、上空で待機するトルバドゥールに連絡を取る。

「ああ、RD。すまないが、シャトー・デスクランに合うアミューズ・グールを用意してくれないか？　量は、二十人分もあれば、大丈夫だ。え？　寝る前に、たくさん食べると太るって？　大丈夫だよ。何？　システムの三十パーセントを休憩させてるときに、料理をしたくない？　それは、すまないと思うよ。――わかってる！　きみは、世界最高の人工知能だ。それをデリバリーに使うのは、申し訳ないと思っている。わかった！　わかったから！　ちゃんと仕事するから、ここは我慢してアミューズ・グールを用意してくれないか」

最後のほうは、早口で言って通信を終える。

「なんですか、〝アミューズ・グール〟って？」

のんきな声で、夢水がきいた。

「日本語で言うと、〝お酒のおつまみ〟だね」

クイーンの説明が終わると同時に、洋館の窓の外に黒いコンテナが下りてきた。中には、タコとキウイを酢で和えたものや、豆腐の上に刻んだタマネギと塩トマトを載せたもの、細かく砕いたポテトチップスとチーズを焼いたものなど、早く手軽にできるアミューズ・グールが大量に入っていた。

「これは、すごい！」

サングラスの奥で、夢水の目がキラリと光る。

「ぼくは、あなたがうらやましいですよ。ＲＤ君に、毎日おいしい料理を作ってもらえるんですからね」

コンテナから出した皿をテーブルに並べると、すごい速さで割り箸を使う夢水。

「ＲＤもジョーカー君も、最高の友達だよ」

クイーンが、リスのようにほおをふくらませた夢水に言う。

「おつまみも揃ったことだし、絵者伝説について話させてもらおうかな」

クイーンが、ワイングラスを目の高さに持ち上げる。

「今から四百年ほど昔、雲一つない青空からペッと吐き出されたように、一人の男が小さな村に落ちてきたんだ。それが絵者だ」

現れた翌日、絵者は、村の広場に一日で城を造った。

そして次の日には、村の道を迷路に作り替えた。

次の日には、高い火の見櫓を四つ。

また次の日は、お堀と畑をつなぐ用水路。

その次の日は、井戸。

そして七日目に、大きな水車小屋を造った。

「一日で城を造る――そんなことができると思うかい？」

クイーンが夢水にきいた。

「ふぇふぃふぁふふぉ」

箸を休めることなく、夢水が答える。

「……わたしが悪かった。きみが食べ終えるのを待つよ」

引きつった笑顔で、クイーンが答える。

しばらく静かな時間が過ぎ、皿の上の料理がすべて消えたとき、夢水が口を開いた。

「できますよ」

あっさりした答えに、クイーンは驚く。

「どうやって?」

「実際、絵者が城を造るのにかかった時間が、どれぐらいかはわかりません。一週間、あるいは一か月? しかしそれは、村の人から見たら、驚くほど短い時間だったのです。その短い時間を表現するのに、〝一日〟という表現を使った。——これが、真相でしょう」

「なるほど。たしかに、時計のなかった昔は、現代と時間の感覚がちがう。だから、〝一日で城を造った〟というのは、〝短い期間で城を造った〟という意味だ——夢水君は、そう言いたいんだね?」

「そうです」

「なるほど、なるほど」

何度も、クイーンはうなずく。そして長い指を、刀剣の切っ先のようにして夢水に向ける。

「しかし、夢水君は、今の答えに納得していない。そうじゃないかね?」

「…………」

「では、わたしの推理を聞いてもらおうかな」

　ワイングラスを持ったまま、クイーンが立ち上がる。そして、本の山を崩さないように気をつけながら、室内を歩く。

「わたしの答えは、単純だ。絵者は、最初から城を造ってあった。城だけじゃない。用水路も火の見櫓も水車小屋も——あらゆるものを持っていた。それを、取り出しただけの話だ」

「取り出す？　絵者は、城や火の見櫓を持ち歩いていたというんですか？」

「そのとおり。〝エッグ〟に入れてね」

「なんですか、そのエッグって？」

「きみは……知ってるんじゃないのかい？」

「…………」

　夢水は、答えない。そのほおを、冷たい汗が流れる。

　——彼は、エッグの正体を知っている。しかし、それを口にしたくない。認めたくない。だから、黙っているんだ。

　クイーンは、そう思った。

「では、説明しよう。エッグは、ダチョウの卵ぐらいの大きさと形をしている。色は、さまざま。いろんなものを中に入れて運べることから、ＲＤは、エッグのことを〝布団圧縮袋〟のようなものだと言っている。布団は、そのままだとかさばって運びにくいけど、圧縮すれば小さくなって運びやすくなるからね」

「…………」

「エッグは、城のような大きな物質だけではなく〝時間〟も中に入れて持ち運びできる。こうなってくると、科学ではなく魔法の世界だけどね――」

そして、クイーンは夢水の反応を見る。

夢水は、しばらく考えてから口を開く。

「なるほど。たしかに、エッグを使えば城を一日で造ったというのも納得できます」

自分に言い聞かせるような、夢水の口調。

クイーンが微笑む。

「わたしは、山之城町に行って確信したよ。あの町は、エッグによって作られたものだ」

「あなたは、そのエッグを盗みに来たのですか？」

夢水にきかれると、クイーンから微笑みが消えた。

「とっくの昔に、わたしのお師匠様――皇帝が盗み出している。今は、漬物石として使われているよ」

そして、頭の後ろで手を組むと、ソファーに背中を預ける。

「ああ、お師匠様の時代はよかったな。怪盗が、怪盗らしく生きることができた」

『カサブランカ・ダンディ』を、口ずさむクイーン。

「インターネットが発達しすぎたのかな……。怪盗が生きづらい時代だ。なのに、RDやジョーカー君は、『獲物をえり好みしないで、働いてください』しか言わない！　彼らは、こそ泥と怪盗のちがいを理解していない。怪盗が、インスタ映えするようなものを盗むようになったら、この世の終わりだと思わないかい？」

すごい勢いで質問するクイーンに、夢水は、うなずくしかない。

「怪盗が狙う獲物に必要なものは、インスタ映えではない！　浪漫なんだよ！　どうして、それがわからないんだろうね……」

目を潤ませるクイーンのグラスに、夢水がワインを注ぐ。

「ありがとう、夢水君。きみなら、わかってくれると思ったよ」

「それはいいんですけど……。ひょっとして、日本へ来た二つ目の目的は、ぼくに家族の愚痴を聞かせるためですか？」

「ちがう、ちがう！　聞いてほしいのは、時代への愚痴だよ」

――結局、愚痴なんだ……。

夢水は、さっきまで食べていたアミューズ・グールの代金として、覚悟を決めて愚痴を聞くことにした。

「まったく、怪盗が生きにくい時代になったものだ。浪漫を感じさせる獲物は、すでに大先輩たちが盗み出してしまっている。なのに、ＲＤやジョーカー君は仕事をしろと言う。無茶な注文だよ」

肩をすくめるクイーン。

――やっぱり、家族の愚痴じゃないか。

夢水は、冷静に考える。

ワインを飲み干したクイーンが、自ら注ぎ足しながら夢水にきく。

「名探偵は、どうだい？　やっぱり、生きにくい時代だとは思わないのかな？」

「そうですね……。たしかに、事件の内容は、お手軽なものが増えてきましたね。ムシャクシャしてやったとか、刑務所に入りたいからやったとか――。美しさの欠片もない犯罪ばかりです。でも――」

夢水が、ワイングラスを持つ。

「中には、警察の通り一遍の捜査では、真実にたどり着けない事件があるんです。悪魔の頭脳を持った人間が織りなす、みんなの笑顔を奪うような事件がね。そのために、ぼくら名探偵は、存在するんです」

「………」

「怪盗クイーン――あなたも、必要な存在なんですよ。怪盗がいなくなったら、美しさも浪漫もない愚劣な犯罪ばかりがのさばります。そんな世界で誰が、子どもたちに怪盗の美学を伝えるんですか？」

クイーンは、優しい笑顔で夢水の言葉を聞いている。

ワイングラスを持つと、夢水のグラスにカチンと当てる。

「乾杯」

しばらく、二人は黙ってワインを楽しむ。

先に口を開いたのは、夢水だ。

「エッグは、不思議な話でしたが――。あなたは、シンクロという現象をご存じですか？」

「いや……聞いたことがないね」

「そうですか」

夢水が、箸を置いた。それは、集中して話すためではない。すべての皿から料理がなくなっているからだ。

「世界には、シンクロの能力を持った人間がいるんです。その人の取った行動やまわりで起きたことが、世界の出来事とシンクロしているんです」

「…………」

クイーンが、ワイングラスをテーブルに置く。しばらく腕を組んで考えてから、首をひねる。

「よくわからないな」

「たとえば、その人の投げたボールが、とんでもない方向に飛んでいってガラスを割ったとします。すると、世界のどこかでミサイルが誤発射されて都市が一つ消えたりします」

「…………」

「シンクロが起こると、その人が風呂の水をあふれさせたら、どこかで洪水が起きます。その人がダイエットを始めれば、世界で餓死者が続出します。その人のまわりで給料が上がった人がいれば、世界の株価が上がります。その人が積み木のビルを壊せば、どこかで建造物が崩壊します」

「そういえば昨日、地震もないのに、M国で建築中の高層ビルが崩れたが……。これは、シンクロなのかい？」

質問するクイーンのほおを、冷たい汗が流れる。

夢水が、テーブルに夕刊を置く。『UFO襲来？』という大きな見出しが躍っている。

「A国の砂漠地帯で、巨大UFOが三機目撃されました」

「……それは、シンクロの能力を持った人間が、皿でも投げたと言うのかい？」

クイーンの声が、微かに震えている。

夢水が、うなずく。

「この話、あなたは信じますか？」

「信じるしかないだろうね」

すでに、クイーンは冷静さを取り戻している。

「現に、きみのような人間も存在している。シンクロ能力を持ってる人間がいたとしても、不思議じゃないね」

「〝きみのような人間〟というところに引っかかりますね……」

苦笑する夢水。

クイーンが、真剣な顔になる。

「そのシンクロ能力を持った人間は、アナミナティなのかな……？」

しばらくの沈黙の後、夢水がうなずく。

「おそらく」

「――まいったね……」

髪をかきあげるクイーン。

「まさか、人間のアナミナティがいるとはね」

アナミナティ――それは、人間では作り出せないもの。

今までクイーンが狙った獲物の多くが、アナミナティである。人間には作れないものが、世界に存在する。

では、誰が作ったのか？　いつ作ったのか？　なんのために作ったのか？

多くの疑問があるが、そんなことにかまってはいられない。

人間には作れないアナミナティ。それを持つことは、すさまじい能力を手に入れるのと同じこと。

そう考えた人間が、アナミナティを求めて激しく争った。愚かな戦いの後、わかったことはたった一つ。

アナミナティに手を出すな。

なのに、愚かな人間は後を絶たない……。

怪盗の美学。その中には、アナミナティの回収も含まれている。

「たいへんですね」

夢水の言葉に、クイーンが肩をすくめる。

「それが、怪盗の宿命だよ」

さらに夢水が話そうとしたとき、クイーンが手を伸ばし制する。

「すまない。トルバドゥールから通信が入った」

耳に仕込んだ通信機で話し始めるクイーン。

「なんだ、ジョーカー君。どうかしたのかい？　いつまで飲んでるんだって？　いいじゃないか、たまにしか会えない友人と、久しぶりに会ったんだよ。今は、一晩じゅう語り明かしたい気分なんだ。きみだって、わたしに久しぶりに会ったら、この気持ちは理解できるさ。えっ？　ぼくは友達じゃなく仕事上のパートナーだからわからないって？　……大丈夫。泣いてないよ。わかってるって！　わたしだって、むだにワインを飲んで楽しんでるわけじゃない。ちゃんと、仕事のことを考えながら飲んでるんだよ。嘘じゃないって！　あっと、キャッチホンが入った！」

　クイーンは、適当なことを言ってごまかし、通信を切る。その顔色が、少し青い。

「たいへんなことになった。早急に、次の獲物を決めないと……」

「そんなときには、いい方法があります」

　黒背広のポケットからダーツを取り出し、クイーンに渡す夢水。

　そして、神のお告げを伝える巫女さんのような口調で言った。

「あなたの獲物がどこにあるか——それは、もう決定しています。試しに、このダーツを投げてみてください」

　日本手ぬぐいで、クイーンの両目をふさぐ。

「投げようにも、見えなきゃ無理だよ」

「大丈夫です。そのダーツは、あなたの獲物が眠っている場所を、ちゃんと教えてくれますから」

「どこへ向かって投げればいいんだい？」

「お好きな方向へ、投げてください」

「…………」

クイーンは、軽く息を吐くと、無造作に投げた。

タン！

ダーツは、本が積まれた壁に向かって飛ぶ。

「どこに当たったんだい？」

日本手ぬぐいをほどき、ダーツの行方を捜すクイーン。

「ちゃんと当たってますよ」

夢水は、壁際に積まれた本の山をのける。ダーツは、山と山の間を抜けて、壁に貼られた世界地図に刺さっていた。

「アフリカ大陸——ナイル川の下流ですね。ここに、あなたの獲物がありますす」

夢水の言葉に、クイーンは苦笑する。

「きみの言葉を、信じていいのかい？」

自信たっぷりにうなずく夢水。

そのとき、またトルバドゥールから通信が入る。

「わかってるって！　遊んでるんじゃないから！　ちゃんと夢水君と次の仕事の話をしてたんだ

よ。その結果、次の獲物が見つかったよ。えーっとね……」

壁の世界地図を、チラリと見る。

「場所は、ナイル川の下流。そこに、怪盗の美学を満足させる獲物があるんだ。本当だよ。嘘だと思ったら、調べてみたまえ。え？　獲物の名前を教えろって――。ちょっと待って、なんだか電波状況が悪いみたいだ。いったん切るよ」

通信をブツ切りするクイーン。肩で大きく息をし、夢水にきく。

「本当に、獲物はあるんだろうね。もしなかったら、わたしはトルバドゥールに帰れないよ」

「大丈夫です。すぐに、『すごいです、クイーン！』という通信が入りますから」

のんきな声で答える夢水。

「それは、名探偵の予言かい？」

「いいえ。確定した未来です」

自信たっぷりの返事に、クイーンが理由をきこうとしたとき、通信が入った。

「すごいです、クイーン！」

ジョーカーの興奮した大声が、通信機から響く。クイーンは、思わず耳を押さえる。

「わたしがすごいのは、よくわかってるから、少し声を小さくしてくれないか。それで、何を興奮してるんだい？　『ハディーヤ』のこと？　何、それ？　とぼけるな？　……もちろんわかってるよ。ハディーヤは、次の獲物の名前だよ。少しふざけてみたんじゃないか。うん、わかった。もう少ししたら、帰るから――」

あわてて通信を切るクイーン。また、肩で大きく息をする。

「よくわからないが、次の獲物はハディーヤに決まったよ。それはいいんだけど、ハディーヤってのは、いったいなんなんだい？」

夢水は肩をすくめる。

「ぼくは怪盗じゃなく名探偵ですからね。それを調べるのは、怪盗の仕事です」

『名探偵　夢水清志郎』と書かれた名刺を、クイーンに渡す夢水。

「たしかに、きみの言うとおりだ」

クイーンが立ち上がり、大きく伸びをする。

「それじゃあ、帰ってハディーヤを盗む準備を始めることにしよう」

コンテナに、皿やワイングラスをかたづけるクイーン。

「すぐに日本を離れるんですか？」

夢水がきいた。

「そのつもりだが――」

「もう少し、日本にいていただけませんか？　数日以内に、この街で騒ぎが起こるんですが、守ってほしい女の子がいるんです。あなたのような規格外の人間がボディガードしてくれたら、安全ですからね」

「規格外の人間に、規格外と言われたくないね」

「ぼくは、規格外ではなく、名探偵です」

また、名刺を出す夢水。

クイーンは、やんわりと断り、窓の外のワイヤーにコンテナを吊した。

「わかった。獲物を見つけてくれたお礼に、しばらく日本にいることにするよ」

「ありがとうございます」

夢水が、恭しく礼をする。

吊されたコンテナの上に乗るクイーン。

「それでは、夢水君。Au Revoir」

クイーンの伸ばした手を、夢水が握る。

雲に向かって上っていくクイーンを見送った後、夢水はソファーに寝転がると、それまで読んでいた本を広げる。

さっきまでの時間が、夢の中の出来事だったかのように、いつもの時間が洋館に戻(もど)った。

STAGE07　夜店は定番！　オプションは『ASP3』の謎解き

スリップした世界でお母さんが生きていたり、落書き騒動があったりで忘れてたけど、冷静になって考えてみると夏休みなんだ。

夏休みは夏休みらしいことをしなくてはいけない——これは、どんな『夏休みの約束』よりも守らなくてはいけない決まりだ。

わたしは、この世界のわたしのスケジュール帳を確認。色とりどりのペンで、ちまちまと書きこまれているのは、元の世界のスケジュール帳と同じ。ちがっているのは、ところどころに『NS・花火大会』とか『NS・肝試し』なんて書かれていること。

元の世界のスケジュール帳には、『花火大会』『肝試し』という書きこみだけで、『NS』という文字はなかった。

——この『N』って、内人のことよね。ということは、『S』は創也君……。

わたしは、この世界のわたしが、想像以上に創也君と親密なのに戸惑う。

――彼とは、あまり会いたくないな……。

創也君は、わたしがスリップしてきたことに気づいている。そんな彼と、顔を合わせたくない。

そこまで考えて、ふと思った。

――あれ？　気づかれたからって、何かマズいことでもあるの？　わたしがスリップしてきた人間だと知られても、別に困ることはないんじゃないか？

わたしは、考える。

――創也君が、クラスメイトに言いふらす。でも、ほとんどの子は信じないだろうな。

友達の顔を思い浮かべる。

――美晴は、ぜったいに信じないわね。あの子は、リアリストだから。志穂は、信じるかな？　信じても「だから、それがどうかしたの？」と言って、気にしないだろう。綾子は、「すごいじゃん、令夢！」と言ってピョンピョン跳びはねるに決まってる。

一人ずつ確認した結果、友達づきあいに変化はないってことがわかった。うん、気が楽になった。

これで、創也君と会うのも苦にならない。

でも……。

――内人には、なんだか知られたくないな。

どうしてかわからないけど、そう思った。

「へぇ、すごいな。そんな能力があるなんて、なんか格好いいな」

内人のことだから、スリップのことを知っても、普通の声で言うだろう。そして、

「なぁ、スリップする前の世界にも、内藤内人はいるんだろ？　そっちのぼくは、どんなやつ？　やっぱり、成績は普通で、塾通いに忙しいのかな？」

こんなことをきいてくるんじゃないかな。

だから、わたしも明るく言ってやるんだ。

「うん、あらゆるところが平均値よ」

――でもね、前の世界の内人は、あなたみたいにサバイバル能力を持ってない。竜王創也なんていう少女マンガに出てくるような友達もいないし、砦でゲームを作ったりもしていない。いてもいなくても、わたしになんの影響もない、ただの幼なじみ。

そしてわかった。わたしは、この世界の内人と前の世界の内人を比べたくないんだ。

――でも、どうして比べたくないんだろう？

「…………」

しばらく考えたら、いつの間にか居眠りしていた。どうも、わたしの頭は、こういう問題を考えるのには向いてないようだ。

だから、わたしは元気な声で、お母さんに言う。

「浴衣、出して！　夜店に着てくんだ！」

考えても解けない問題に、夏休みの貴重な時間を使うほど、わたしは愚かな人間じゃない。


待ち合わせは、虹北商店街の入り口にある公園のような場所で、午後六時――。

いつまで経っても夏の日差しは元気で、早く涼しくなってほしいわたしに意地悪してるみたいだ。

わたしは、石でできた建造物にもたれて二人を待つ。それにしても、奇妙な建造物だ。太い石の柱が四本、芸術的に組み合わされている。

「……暑い」

わたしは夏が大好きだ。なんだかんだいって、うんざりするような暑さも気にいっている。天気予報で「今年は冷夏です」なんて聞くと哀しくなるぐらい、夏が好きなんだ。

だけど、今は別。

なんといっても、浴衣姿。髪も、ばっちりセットしてある。これを、汗で無茶苦茶にしたくないのよ。

——太陽め！　早く、沈みなさい！

心の中で念を送ったためか、ようやくあたりがオレンジ色になってきた。吹く風が、少し涼しい。

そして、太陽の沈むほうから、内人と創也君がやってきた。

内人は、紺色の浴衣。創也君は、黒色の浴衣。なんだか、二人とも、大人っぽく見える。

わたしは、自分の浴衣を見る。白地に、紫色の朝顔がちりばめられたもの——。子どもっぽくないかな……。

「お待たせ、令夢」

シュタッと手を上げる内人。

わたしは、少しほおをふくらませて言う。

「十五分遅れだよ」

「ごめん。この着物、着るのも歩くのも、時間がかかってさ——」

黒い車のことは『ユッケ・モナカ』って言うのなら、『着物』ではなく、ちゃんと『浴衣』って言ってほしい。

「昨日、浴衣着てくるって言ってなかったよね」

「令夢が浴衣で来るって言ったら、創也が用意してくれたんだ」

得意げに言う内人。いや、用意したのは、内人じゃなく創也君だからね。

創也君が、さりげなく内人のわき腹を突いた。

「あっと……その浴衣、似合ってるな」

棒読み口調の内人。言わされてるセリフだとわかってるけど、うれしい。

「ありがとうね」

わたしは、二人の背中を押すようにして、商店街に入る。

いつもはシャッター商店街だけど、今夜だけは別。

道の両側には、シャッターが下りた店を隠すように、たくさんの屋台が並んでいる。

かき氷やホットドッグ、綿菓子、焼きそばにタコ焼き——。浴衣の帯を、ゆるめに締めておいてよかったなと思う。

「令夢、食べ物の屋台しか見てないな」

あきれた目を、内人が向けてくる。

「失礼なこと言わないでよね。ほかの屋台も見てるわよ」

ヨーヨー釣りや金魚すくい、射的など、定番の屋台も、しっかりチェックずみだ。

金魚の入ったビニール袋を持って歩くのは、たしかにインスタ映えする。でも、長く持ち歩いていると、家に着くまでに金魚が弱ってしまう。

ここは、あえてヨーヨー釣りで勝負すべきだ！

「というわけで、ヨーヨー釣りやろうよ」

わたしの提案に、内人が首をひねる。

「どこが〝というわけで〟なのか、わからない」

「いいじゃないか。ぼくは、最近完成させた『ヨーヨー釣り必勝法』を試してみたいね」

創也君のワインレッドの眼鏡が、キラリと光った。

「おまえ……そんなくだらないことを、いつも考えてるのか」

内人があきれてるけど、わたしは、ぜひ聞いてみたい。

〝というわけで〟、ヨーヨー釣りの屋台に向かう。屋台のおじさんにお金を渡し、紙のこよりを受け取る。こよりの先には、針金で作ったW形の針がついている。

おじさんの前の水槽には、色とりどりの風船が浮かんでいる。宝の山だ！　風船の先には、ゴム紐が結ばれている。そして、ゴム紐の反対側は、輪っかになるように結ばれている。

この輪っかに、W形の針金を引っかける——これが、ヨーヨー釣りだ！

「なぜ、ヨーヨー釣りで失敗するのか？　それは、紙のこよりが水で濡れてしまい切れてしまうからだよ」

創也君の講義に、内人は「当たり前じゃないか」とそっぽを向くが、わたしはメモを取りたい気分だ。

内人を無視して、創也君が続ける。

「必勝法としては、紙のこよりが切れないように、強度を増すんだ」

わたしは、手を挙げて質問。

「どうやって、強度を増すんですか？」

「簡単だよ。紙のこよりをさらにひねって、固く棒状にするんだ」

こよりをひねろうとする創也君の肩を、内人が叩く。そして、屋台の前に吊ってある、『こよりをひねるのは禁止。違反者は、罰金一万円』と書かれた段ボール紙を指さす。

せき払いをする創也君。

「今言った方法は、屋台によっては禁止されているから注意するように。あと、強度を増すために、紙のこよりに油を塗りつけたりするのは、犯罪だからぜったいにやってはいけない」

そして、確認するように、屋台のおじさんを見た。鋭い目をしたおじさんが、当然だというようにうなずく。

「次に、紙のこよりの持ち方だけど、できるだけ針に近いところを持つ」

創也君が、W形の針の真上を持つ。

その肩を、内人が叩く。そして、屋台の前に吊ってある、『針から五センチ以上、上を持つこと。違反者は、罰金一万円』と書かれた段ボール紙を指さす。

せき払いをする創也君。

「もちろん、屋台によって、ルールが決まってるから、それを守るように。あと、針自体を持つことは、当然ダメだからね。ぜったいにやってはいけない」

そして、確認するように、屋台のおじさんを見た。鋭い目をしたおじさんが、当然だというようにうなずく。

ここまで聞いて、創也君の講義は、あまり役に立たないような気がしてきた。

――ここは、自分の力でがんばろう。

わたしは、水槽に目をやる。色とりどりの風船の中で、花火の模様がついた白い風船に目をつける。

気合を入れて吊ろうとしたら、創也君がボソッと言った。

「あの風船は、ダメだ」

「どうして？」

「風船の先のゴムが、水に沈んでいる。あれを取ろうとすれば、紙のこよりを濡らさなくてはならない。それより、二つ隣の風船は、輪っかが水の外に顔を出している。あれなら、取りやすい」

――なるほど。でも、わたしが取りたいのは、花火の模様がついた白いやつなのだよ。

創也君のアドバイスを無視し、わたしは白いやつに挑む。

慎重に針を沈め、輪っかにかけようとする。でも、なかなかうまくいかない。そのうちに、紙のこよりが、どんどん濡れてくる。

――焦っちゃダメだ、焦っちゃダメだ。

自分に言い聞かせるけど、ますます焦ってしまう。

なんとか輪っかに針をかけることができたので、引き上げようとしたら、音もなく紙のこよりが切れた。

水槽に沈むW形の針金。わたしの戦いが終わった。

「ぼくは、手堅く行くよ」

創也君が、輪っかが水から顔を出してる風船に目をつけた。

針を風船のほうへ近づける。しかし、その手が、病気なんじゃないかと思えるぐらい震えている。

「大丈夫？」

心配になってきいたら、

「見ていたまえ」

自信にあふれたセリフが返ってきた。

言われたとおり見ていたら、はるか手前で針を水に入れてしまっている。

——あれ？　どうして水につけるの？

ききたかったけど、創也君の顔は、質問を許さないぐらい厳しい。

水の中をフラフラと進んだ針は、一度もゴム紐に触れないまま、切れて水槽の底に沈んだ。

創也君の戦いも終わった。

「なんだ、二人とも失敗したの？」

上から目線の声がした。内人だ。その手に、風船を四個持っている。……いつの間に？

「どうやって取ったの？」

わたしがきくと、

「普通に取ったよ」

あっさりした返事。

「じゃあ、あれ取ってよ」

わたしが、花火の模様がついた白いやつを指さす。

内人は、あっさり針を引っかけて、取ってくれた。……すごい。

「次、あれ！」

今度は、スイカの模様がついた風船を指さす。

すると、内人は、首を横に振った。

「ダメだよ。ぼくは、もう五個取ったから」

そして、屋台の前に吊ってある段ボール紙を指さす。そこには、『お一人様、五個まで』と書かれている。

「兄ちゃん、なかなかやるね」

屋台のおじさんが、ニカッと笑う。そして、風船を入れるビニール袋をくれた。

暗くなるにつれ、商店街は、多くの人で埋め尽くされる。

道の両側に並ぶ、たくさんの屋台。見てるだけでワクワクする。

金魚すくいや綿菓子など定番の屋台に加えて、「なんだこれは？」と、首をひねるようなものもある。（サメすくいや綿氷の屋台って、何？）

いちばんわからないのは、「未来屋」の屋台。ほかの店のようにガラスケースや調理器具もない。パイプの骨組みに、黒地に白い文字で「未来屋」と書かれた布が一枚かかっているだけ。

店の人は、折りたたみいすに座っている二人。一人は、黒いシャツに黒いズボンの、長身男性。寝癖がついたようなモシャモシャの髪に、猫みたいな細い目。もう一人は、まだ小学生くらいの子ども。退屈そうに本を読んでいる。

——いったい、なんの屋台なんだろう？

不思議に思って内人にきく。

「未来屋なんだから…… 〝未来〟を売ってるんじゃないかな？」

よくわからない返事。

「おみくじでも売ってるんだろうね」

創也君の返事は、さらに謎だった。なんなの、おみくじって……？

わたしたちだけでなく、夜店に来た人たちも、不思議そうに未来屋をのぞいていく。のぞいていくだけで、未来を買おうとするお客さんはいないけどね。

わたしたちは、人混みにもみくちゃにされながら、道を歩く。

日本人だけでなく、外国人も多い。さすが、観光立国日本！

でも、中には、みょうな外国人もいる。

この暑いのに、白いロングコートを着ている男の人。おまけに、左腰には、日本刀を差している。

「内人、見てみて！ おもしろい外国人がいるよ！」

わたしが言うと、

「指さすな！」

内人が、わたしの手をペシッと叩く。

「でも、どうしてコート着てるのかしらね。刀も持ってるし――」

「おそらく、あれだろうね」

創也君が、商店のウインドウに貼られたポスターを指さす。『ワールド・コスプレ・フェスティバル！』と書かれている。

なるほど。つまり、あの男の人は、コスプレしてるわけだ。

「もっと涼しいコスプレしたらいいのにね。あの外国人、日本の夏をナメてるわ」

すると、その声が聞こえたのか、男の人がにらみつけてきた。わたしは、あわてて内人の後ろに避難する。

次に気になったのは、前から歩いてくるカップル。男性のほうは、Tシャツにジーンズ。女性のほうは、細かいチェックのワンピースに、薄手のパーカを羽織っている。

わたしたちぐらいの年齢だと思うんだけど、よくわからない。二人とも、セルロイドのお面をかぶっているからだ。

男性のほうは変身ヒーロー・イザドのお面、女性は魔法少女のお面。二人とも、おしゃれ感覚で、おでこのところに載せてるんじゃなく、顔の前にかぶっている。

――指名手配でもされてるの？

不思議に思ってると、男性が、こちらに顔を向けた。

内人を見て、ビクッとしたように動きが止まった。そして、左のわき腹を押さえて、逃げるように人混みに消える。

「知り合い?」

わたしの質問に、内人が首を横に振る。

創也君もきく。

「この間、落書きの件で、夏期講習の帰りに襲われたって言ってたね。どんなふうに撃退したか、もう一度話してくれるかい?」

「どんなふうにって……後ろから来た相手に、右手で持った新聞紙の棒を――」

内人が、右手を左わき腹のほうへ回す。

「そうすると、襲撃者は、左わき腹を突かれる形になるね」

あっ!

「じゃあ、さっきの男が、わたしたちを襲った相手なの?」

わたしの言葉に、創也君がうなずく。

「そうか……。だから、わたしたちに会っても顔がわからないように、お面をかぶってるのね」

これには、首を横に振(ふ)る。

「彼(かれ)らは、ぼくらが夜店に来ることを知らなかったと思うよ」

「だったら、どうして、顔を隠(かく)してるの？」

「それはね、二人でいるところを、知ってる人に見られたくないからさ」

「つまり……お忍(しの)びのカップルってこと――」

――落書きに関わっている、カップル……。

頭の中で、関係者の顔を思(おも)い浮(う)かべるけど、該当者(がいとうしゃ)なし。芝原(しばはら)さんと田添(たぞえ)さんはカップルだけど、それは前の世界での話だし――。

「そろそろ、落書きの謎解(なぞと)きをするころかな」

創也君がつぶやく。

そして、指を一本伸(の)ばし、みごとな発音で言った。

「It's a showtime!」

商店街の中央広場――。
フェンスに囲まれた時計台があり、ベンチが置かれている。

ベンチは夜店に来た人たちに占領されてるので、わたしと内人はフェンスにもたれて、創也君の話を聞くことにした。

なお、わたしの手にはメロン味のかき氷、内人の手にはイカ焼きの串が持たれている。

創也君は、何もなし。飲んだり食べたりしながら謎解きをしたくないからだそうだ。

「落書きの意味については、昨日、話したとおりだ。落書きは、目立たなくてはならない。なのに、学校の壁に書かれていた『ＡＳＰ３』は、目立たないように書かれていた。つまり、あれは落書きではなく、メッセージなんだ」

ここまでの話は、納得できる。

問題は、誰から誰へのメッセージかということだ。

そのことをきこうとしたのだが、創也君は、休むことなく話し続ける。

「『ＡＳＰ３』の意味を考える前に、なぜ、メッセージを壁に書かなければいけなかったのかを考えよう。令夢君、きみがまわりに秘密で内人君とつきあってると仮定しよう」

——なんで、内人と！

その文句を言う前に、創也君が話を続ける。

「内人君にメッセージを伝えようとした。でも、直接伝えることができない。なら、どういう方法を取る?」

「……LINEかな」

「それが手軽だね。でも、学校はスマホが持ちこめない」

ああ、そうだった。

「じゃあ、紙に書いて、手渡す」

「手渡せるぐらいなら、直接伝えたほうがいいんじゃないかい? あと、誰かに渡してもらうよう、頼むのも無理だ。その子に、二人の関係がバレるからね」

「下駄箱に手紙を入れるのは?」

「誰かに見られたらアウトだよ」

「………」

考えてるうちに、壁に、こっそり書くしかないように思えてきた。

創也君が、話をまとめる。

「学校外なら、スマホを使って自由に連絡を取れる。しかし、学校で急に連絡を取りたくなったときには、壁にメッセージを書こうと決めていた。意味不明の落書きに見せかけてね」

でも、どうして、そこまで関係を隠さなきゃいけないんだろう?

――まるで、ロミオとジュリエットみたいだ。

あれ……？

わたしの頭に、何かひらめいたものがある。

考えこんでしまったわたしにかまわず、創也君が続ける。

「二人は、読み終えたらすぐに消せるように、鉛筆などを使っていた。しかし、その日は、うっかりしていたのかあわてていたのか、ペンで書いてしまった。時間をかければ消せるけど、その前に、ほかの人に見つかってしまうかもしれない」

「『ASP3』なんて、意味がわからないから、別に見つかってもいいんじゃないか？」

気楽な声の内人に向かって、創也君が、指をチッチッチと振る。

「頭脳を持ってるのは、ぼくだけじゃない。内人君も、持ってるんだよ。意味に気づく者もいる」

「なるほど。消せないので、ほかに落書きを書いて『ASP3』から目をそらせようとしたんだね」

バカにされたことに気づいてない内人が、大きくうなずいた。

「でも、いつも鉛筆で書いてるメッセージを、まちがってペンで書くかな……？」

内人のつぶやきに、わたしは口をはさむ。

「芝原さんなら、ありうるよ」

意外そうな内人。

「えー！　芝原さんが『ＡＳＰ３』って書いたり、ぼくらを襲ったりしたっていうのか？」

わたしは、うなずく。

ユニホームの前後ろをまちがえたまま試合に出てしまう芝原さんなら、鉛筆とペンをまちがえても納得できる。

「でもさ……芝原さんがメッセージを書いたとして、相手は誰なんだよ？」

「生徒会会計の田添さん」

わたしは、元いた世界で、芝原さんと田添さんが仲よく歩いてるのを何度も見ている。

こっちの世界に来て、二人がつきあってないのを知って驚いた。でも、やっぱり秘密でつきあってたんだ。

「ないない」

内人が、右手をヒラヒラ振る。

「だいたい、生徒会とクラブ連合がもめてるのは、あの二人に原因があるようなもんなんだぜ」

「だから、二人はロミオとジュリエットなのよ」

個人としてはつきあっていても、それぞれの立場があって、仲よくしてることは秘密にしなければいけない。

うん、わたしは納得(なっとく)した。

創也君が、口を開く。

「あの日の放課後——。三時ごろ、公園で芝原さんに会ったのを覚えてるかい？」

わたしと内人はうなずく。芝原さん、ブランコに腰掛(こしか)けていたっけ。

「芝原さんは、なんだかあわててたようだった。ぼくは、ブランコに乗ってるのを見られて恥(は)ずかしいんだと思いこんでしまった。でも、ほかに理由があったんだよ」

「…………」

「あのとき、芝原さんは田添さんと待ち合わせしていたんだ。そこを、ぼくらに見られそうになったので、あわてたんだよ」

わたしは、考える。

放課後、公園、待ち合わせ……。

「ひょっとして、『ＡＳＰ３』って、『放課後、公園で三時に会いましょう』って意味？」

わたしが言うと、創也君が微笑む。

「That's right」

「なんで、『放課後、公園で三時に会いましょう』が『ＡＳＰ３』になるんだ？」

首をひねる内人に、説明する。

「英語が平均点でも、『放課後』が『After School』で『公園』が『Park』ってことは知ってるよね？」

「そして、『３』は、午後三時という意味か……。なるほど、たしかに『ＡＳＰ３』だ」

内人が、自分の言葉に、うんうんとうなずく。

「いやいや、納得したわけじゃないぞ。まぁ、『ＡＳＰ３』をごまかすために、落書きを使ったというのはわからなくもない。だったら、グラウンドに書かれた、でっかい落書きはなんなんだ？　説明できるか」

「あっ、あれは……」

言いかけたわたしを、創也君が止める。

「前にも言ったけど、ここで謎を解いてしまうのはもったいない。あとの楽しみにとっておきたまえ」

内人は、少しだけ不満そうな顔をしたが、

「わかったよ」

と、ため息をつく。創也君が、話さないと言ったらぜったいに話さないことを知ってる表情だ。

「で、さ——」

内人が、話を変える。

「学校の落書きについては、いいとして——。商店街のシャッターに書いてあった『十口10』は?」

わたしは、首を横に振(ふ)る。

創也君が、フッと笑う。

「内人君は、『海のことは舟子(ふなこ)に問え、山のことは樵夫(きこり)に問え』という言葉を知っているかな?」

すごい勢いで、内人が首を横に振る。隣(となり)で、わたしも横に振る。

「学校のことは、ぼくにきけばいい。でも、商店街のことをきくには、もっとふさわしい人がいるよ」

ふさわしい人……?

首をひねってるわたしたちに、創也君が言う。

「虹北恭助(きょうすけ)。——古書店『虹北堂』のご主人だよ」

わたしの頭に、ゆうべ会った、ランニングシャツの人が浮(う)かぶ。

「竜王グループのデータベースにアクセスした。彼(かれ)は、小学生のころからの名探偵(めいたんてい)だ。とっくに、『十口10』の謎(なぞ)は解いているよ」

少し意外。とても、そんなすごい人には見えないのに……。

「さぁ、〝樵夫(きこり)〟に会いに行こうか？」

創也君が、わたしたちの背中を押(お)す。

STAGE08　『十口10』の謎解き、そしてジヒドロゲンモノオキシドの恐怖

時間が経つにつれ、商店街に来る人が増える。帰っていく人より来る人のほうが多かったら、当然、人口密度は増える。

「あれ？　そういや、卓也さんは？」

創也君にきくと、後ろを見ないようにして答える。

「ぼくらのじゃまをしないように、さりげなくついてきてるよ。卓也さんなりに、気を遣ってくれてるようだね」

わたしは、アーケードにつけられた防犯ミラーを使って背後を確認。

紺色の浴衣を着た大柄な男の人が、数メートル後ろに立っている。まわりの人が笑顔で楽しそうなのと対照的に、油断なくまわりに視線を送っている。

雰囲気は、大物政治家を警護するＳＰだ。

わたしは、創也君に同情する。危険がないように警護してくれるのはありがたいけど、いつも

見張られてるようで息が詰まりそうだ。

　そう、息が詰まりそう……。

　道にあふれる人混みにもまれて、息が苦しい。本当に、すごい人出だ。

「内人、創也君！　大丈夫？」

　もみくちゃにされながら、二人に声をかける。

「離れるなよ。ここではぐれたら、もう会えないぞ」

　内人が、密着してくる。ドキッとしてる場合じゃない。今は、なんとか息がつける場所に行かないと――。

　すると、急に人がいなくなった。

　あれ？

　見回すと、古本屋さんの前。『虹北堂』と書かれた大きな木の看板が、かかっている。

　店の奥を見ると、ランニングを着た恭助さんが本を読んでいた。わたしたちに気づくと、本から顔を上げる。

「いらっしゃい」

　こう言われたら、店に入るしかない。

中は、古本屋さん特有のにおい。かび臭いような、刈ったばかりの芝生のような——そんな、懐かしいにおい。

店内に、人はいない。そりゃ、夜店のときに、わざわざ古本屋さんに入ろうって人は、いないわね。

「すごい……。『月刊　保育士の友』のバックナンバーが、こんなにも充実している」

いつの間にか卓也さんが店の中にいて、雑誌が並んだ棚を、舐めるように見ている。

そのわきでは、創也君が、棚から抜いた本を食い入るように読んでいる。

——いるんだ……。こんなときでも、本を読もうってやつらが。

内人が、恭助さんに声をかける。

「夜店に行かないんですか？」

「うん。店番しないといけないしね」

猫みたいに目を細めて、恭助さんが答えた。

そこへ、本を数冊抱えた創也君が来た。

「おいくらですか？」

「なかなかいい本を選ぶね。五万二千円になるけど、おまけして五万円でいいよ」

金色に光るカードを出す創也君。

「ごめんね。虹北堂は、現金オンリーなんだ」

「…………」

しばらく考えて、創也君が言う。

「明日、お金を持ってきます。それまで、取っておいてもらえますか」

笑顔でうなずく恭助さんに、続けてきく。

「それと――。今日のように人がたくさんいるときが、危ないんじゃないかと思うんですが、あなたはどうです？」

意味不明な質問だ。これは、『十口10』に関係したことなんだろうか？

「ぼくも、危ないと思っているよ。だから、ちゃんと見張りを置いてるんだ」

恭助さんの答えも、意味不明だ。

わたしは、内人を店の隅に引っ張る。

「ねぇ、二人は何を話してるの？」

「ぼくにわかるわけ、ないだろ」

たしかに、そのとおりだ。

すると、店の中に一匹の黒猫が入ってきた。ナイトだ。

「にゃぁ～」

音もなく恭助さんの膝に飛び乗ると、頭をすりつけるナイト。

「どうやら、動きがあったようだね」

立ち上がる恭助さん。『本日は閉店しました』の木札を持つ。

えーっと……。

わたしと内人は、わけがわからない。恭助さん、どこか行こうっていうの？

創也君は、わかってるのだろう。黙って、恭助さんとナイトの後に続く。

その後を、影のように卓也さんが追う。さっきまで、あんなに『月刊　保育士の友』を眺めていたのに――。

――やっぱり、保育士よりは、創也君のボディガードなんだ。

いや、そんなことを考えてるときじゃない。

わたしと内人は、みんなの後を追っかける。


虹北商店街は、大にぎわい。夜店は大成功といえるだろう。

「夜店の定番はケーキですよ！　ケーキ、いりませんか？」

野村洋菓子店の前では、響子さんがホールケーキを売っている。どうして、夜店に来た人がホールケーキを買うと思ったのか、不思議だ。

「あっ、恭助！　どこ行くの？」

響子さんが、恭助さんを見つける。

「ちょっとね」

笑顔で手を振る恭助さん。

「あっ、わたしもいっしょに行――」

言いかけた響子さん。でも、自分が売り子をしている現実を認識して、グッと我慢する。これが、商店街で生まれた娘。

「あとで、何があったのか、ちゃんと教えるのよ！」

そう言って、わたしたちを見送る。

わたしと内人は、創也君に追いつき質問した。

「『十口10』が描かれていた酒屋さんに行くの？」

「そうだよ」

あっさりした返事。

「あの落書き、いったいどんな意味なの？」

答えてくれたのは、恭助さんだ。いつもは、猫みたいに細い目が、今は丸く見開かれている。

「きみたちは、性質の悪い訪問販売員が使うマークのことを知ってるかな？」

わたしも内人も、首を横に振る。

「そいつらは、訪れた家のデータを、その家の玄関や郵便ポストに記号で描くんだ。たとえば、『◎』なら、その家で契約が成立したことを意味する。『☆』なら、粘り強く交渉したら買ってくれそうな家ってことなんだ」

「………」

「『S』は、シングル——住民は一人暮らし。『M』なら住人は男性。『W』は女性。そして、空き巣は、これらのマークを見て、仕事をする。たとえば、『SW11〜15R』とマーキングしてある家を見つけた。これは、『一人暮らしの女性の家で、午前十一時から午後三時まで留守』という意味だから、その間に忍びこむのさ」

……こんな情報、初めて聞いた。家に帰ったら、玄関や郵便ポストをチェックしなきゃ。

「それで、『十口10』の意味は？」

これにも答えたのは恭助さんだ。創也君は、この件に関して黙(だま)ってるつもりのようだ。

「まず気になったのは、『十』と『10』が書き分けられてることなんだ。なぜ、片方は漢数字で、片方は算用数字なのか――?」

言われてみて、初めて気がついた。

――こういうのが気になる人が、探偵(たんてい)になるんだろうな。

わたしは、内人を「気がついてた?」という目で見る。

内人が、「全然」という感じで、首を横に振(ふ)る。

恭助さんが続ける。

「そこで、最初の『十』を単独で考えず、『口』と組み合わせてみた。するとできたのが、『古』という文字。『十口10』は『古10』になる」

「実は、『十』は漢字ではなく『+(プラス)』、『口』は『0』だったかもしれない。だったら、落書きは『+010』ってなる。つまり『プラス010』――『10点プラス』って意味だ」

内人が独り言のようにつぶやいた。

恭助さんが、うなずく。

「うん、ぼくも、それは考えた。でも、落書きが書かれていたのは李下(りか)じいさんの店――酒屋だ。ということは、『10点プラス』より『古10』のほうがピッタリくる」

「どうしてですか?」

「『古10』は、『十年物の古酒がある』というメッセージと読めるからさ」

古酒……。そういえば、夢水(ゆめみず)さんが、古酒があったらおいしいだろうなと言ってたっけ。

……あれ、ちょっと待って。

「ということは、その古酒を泥棒(どろぼう)が狙(ねら)ってるわけ?」

わたしの声に、恭助さんがうなずいた。

「それも、今、盗(ぬす)み出(だ)されようとしてるんだ。店を見張っていたナイトが、さっき報告に来た」

わたしは、真っ黒の猫(ねこ)を見る。

「んにゃぁ~」

その鳴き声が、得意そうに聞こえた。

わたしは、小声で内人に言う。

「同じ『ないと』でも、人間より賢(かしこ)そうね」

「フン!」

内人が、そっぽを向いた。

恭助さんが続ける。

「泥棒たちが古酒を狙ってるのは、落書きからわかった。問題は、いつ盗むかだ――。人気のない、真夜中か？　いちばん可能性がありそうで、実は、難しい。なぜなら、商店街のアーケードは二十四時間明るいし、いくら人気がないといっても、誰かに見られる危険もある。そう考えると、いちばん安全に盗めるのは、夜店でにぎわってる〝今〟なんだ」

たしかに、恭助さんの言うとおりだ。

今、商店街は夜店の客で、わけがわからないぐらいゴチャゴチャしている。盗んだ物を抱えていても、夜店の商品を運んでいるぐらいにしか見えない。

「商店の前に夜店の屋台を設置すれば、シャッターをこじ開けて中を漁っていても、外からは見えない。こんなふうにね――」

恭助さんが、『李下じいさんのリカーショップ』の前を手で示す。

そこには射的の屋台が設置され、李下じいさんの店が見えなくなっている。浴衣を着たカップルが、おもちゃの鉄砲で、棚に並んだ景品を狙っている。弾丸五発で三百円。景品に当てて棚から落とせたらもらえるんだけど、ちょっと高いように思う。

屋台のお兄さんは、鼻や唇にピアスをつけ、タンクトップから出た肩にはタトゥーが彫られている。はっきり言って、あまりお近づきにはなりたくないタイプだ。

「今、屋台の裏では、何が行われてるんだろうね？」

恭助さんが、まわりに聞こえるように言った。

「なんだ、おまえは——？」

屋台のお兄さんが、わたしたちの前に立つ。わたしたちの先頭に立つ恭助さんとお兄さんは、身長で三十センチ以上、体重は四十キロぐらいちがうんじゃないだろうか？

さりげなく、内人がわたしの前に立つ。内人だって、恭助さんとたいして変わらないのに、こういうところは男の子だな。

お兄さんが、恭助さんに顔を近づける。

「なんか、用か？　客じゃないんなら、消えな」

でも、恭助さんは、少しも恐れていない。さっきまで丸かった目は、いつもの細い目に戻り、ニコニコしながらお兄さんを見る。

「ちょっと李下じいさんの店を見せてもらいたいんだけど、いいかな？」

「はぁ？　営業妨害する気か？」

お兄さんが手を伸ばし、恭助さんの胸ぐらをつかもうとする。その手を、飛び上がったナイトが引っ掻いた。

「てめぇ～！」

ミミズ腫れができた手の甲を押さえ、お兄さんが叫ぶ。

え～っと、これって危険な状況じゃない？

ドキドキしてると、わたしたちの後ろから卓也さんが前に出た。

「なっ、なんだよ、おまえは……」

明らかに只者ではない雰囲気を持った卓也さんに、お兄さんはおびえる。

無言の卓也さんは、お兄さんに百円玉を三枚わたし射的の弾丸を一個持った。弾丸は、長さ一センチ五ミリぐらいでコルク製。それを、景品に向かって指で弾く。

ビキ！

景品のルービックキューブに弾丸は当たった。でも、ルービックキューブは棚から落ちない。粉々に砕け散ったからだ。

「なんだ、今の音は！」

屋台の裏から、三人の男が出てきた。みんな、お兄さんと同じようにピアスにタトゥー。区別がつきにくいので、一号、二号、V3と呼ぶことにする。

お兄さんは、一号たちが出てきたので、一気に強気になる。

「おい、ふざけたマネしてんじゃねぇぞ」

卓也さんに詰めよる。

一号からV3が、卓也さんを取り囲む。

それを見ていた恭助さんが、わたしたちに言った。

「さぁ、店の中に入ってみよう。李下じいさんが、どんな古酒を残したのか見てみたい」

「卓也さん、大丈夫かな?」

わたしのつぶやきに、創也君が首を横に振る。

「大丈夫だよ。あれぐらいの人数なら、ちゃんと手加減できる。誰も死なせないから」

……いや、わたしが心配したのは、卓也さんのほうなんだけど。

恭助さんを先頭に、シャッターの隙間から、店の中へ入る。空っぽの棚とケース。床には、緩衝材が入った木箱。

木箱のわきには、何本もの酒瓶。どうやら、この木箱に古酒を入れて運び出すつもりだったみたいだ。

「日本酒は、純米大吟醸。ワインは、ロマネ・コンティの四十年ものにシャトー・ペトリュスの二十八年もの。マッカランのウイスキーにラフォンタンのブランデー。その他もろもろ。――まったく、いくらになるのかわからないね」

ため息混じりに、創也君が言う。わたしと内人は、その価値がわからない。

「李下じいさんは、ずっとまじめに店をやっていた。景気のいいときも悪いときも、変わることなく――。『うまい酒を売りたいだけだ』って言ってね。ここには、そんな思いが残ってるんだ。バカどもが店を荒らすなんて、許されることじゃない」

恭助さんの声は、怒りに満ちている。

「わたしも、あなたたちを許す気にはなれませんね」

店の奥から声がした。三十歳ぐらいの男の人が立っている。きちんと背広を着て、七三分けにした髪型。でも、ヤバい人だということが一目でわかる。だって、まともな人がスタンガンを手に持ってるわけないもん。

「この計画を買うのに、かなりの金額を払いました。また、実行役にチンピラを雇うのにも金がかかっています。ここで失敗するわけにはいかないんです」

この計画？　それって、古酒を盗む計画のこと？　買ったってことは、誰かに計画を考えてもらって、それを買ったの？

いや、今は、そんなことを考えてるときじゃない。

スタンガンの先が、ジジジと音を立てる。

「じゃま者は排除させてもらいます」

男が近づいてくる。

「動くな！」

恭助さんの鋭い声に、男の足が止まった。

「ぼくらに危害を加える気なら、こちらも相応の対応をする」

そして、内人が持ってるビニール袋からヨーヨー釣りで取った風船を出した。

「この中に入っているのは、ジヒドロゲンモノオキシドだ。水酸の一種で、常温では液体だが、吸引すると死亡する。ぶつけられたくなかったら、動くな」

えっ！

隣にいる創也君を見ると、細かく震えている。この風船って、そんなに怖い物が入ってるの……？

「…………」

男が、何か考えている。

「ジヒドロゲンモノオキシド……日本語にしたら、一酸化二水素。つまり、水じゃないか！」

叫ぶ男に、恭助さんが胸を張る。

「嘘は言ってない！」

「ふざけるな！」

スタンガンを突き出してくる男。そのスタンガンが、吹っ飛ぶ。店に入ってきた卓也さんが、男の手を蹴り上げたのだ。

「思ったより、時間がかかったね」

創也君が言った。

「夜店に来ているお客様に被害が出ないよう、配慮してましたので――」

恭しく答える卓也さん。

なるほど。風船を出したのは、卓也さんが助けに来てくれるまでの時間稼ぎだったのか。

創也君が、恭助さんを見る。

「それにしても、恭助さんがジヒドロゲンモノオキシドと言い出したときは、笑いをこらえるのに苦労しましたよ」

「さっきも言ったけど、嘘は言ってないよ」

たしかに、水は水酸の一種だし、当たり前だけど常温では液体。それに、吸引すると死亡する
――水死だ。

遠くから、パトカーのサイレンが聞こえてきた。いくら、卓也さんが配慮したといっても、夜店で乱闘騒ぎが起きたら警察がやってくるのは当然だ。

「あとは、ぼくがうまいこと言っておくから――。きみたちは、警察と関わりたくないんだろ」

恭助さんが、わたしたちに言う。ボディガードをつけている創也君を、只者ではないと思ったようだ。

「痛み入ります」

卓也さんが頭を下げる。

STAGE09　なんでわたしがこんな目に？　すると白馬に乗った騎士が——

サイレンから逃げるように、わたしたちは商店街の中を走る。

内人を先頭に、わたし、創也君、そして卓也さん。

さっきまで怖い目にあっていたのに、そんなことも忘れて、ほおが緩んでくる。

——楽しい……。

なんだろう。夏の夜、華やかな夜店の屋台が立ち並ぶ中、こうして走ってると、気持ちが高ぶってくる。

そりゃ暑くて汗も出るし、浴衣で走りにくいということもあるけど、わたしは楽しかった。

みんなとはぐれないようにしてたんだけど、だんだん距離が開いていく。

——あれ？

気がつくと、前に内人がいない。振り返ると、創也君も卓也さんもいない。

キョロキョロしてると、浴衣を着た女の人が、こちらのほうへ顔を向けている。人混みから色と音が消え、その人だけカラー写真で撮ったみたいに目立っている。

浴衣は、白地に紫と黄色の市松模様。胸のところに椿が一輪描かれている。

彼女の表情はわからない。白い狐のお面をかぶっているからだ。

狐のつり上がった目が、こちらを見ている。

わたしは、催眠術にかかったように動けない。

彼女は、ゆっくり近づいてくる。そして、すれちがう瞬間、何かフワリとしたにおいに包まれた。

覚えているのは、そこまで。屋台の明かりや人混みのざわめき、鉄板の焦げるにおい――そんなものがグルグル回って、わたしの意識はフェードアウト……。


えーっと……。

意識が戻った。

でも、体が動かない。見ると、座った状態でいすに縛り付けられてる。動けないことよりも、浴衣に皺が寄ることのほうが心配。

「目が覚めた？」

わたしの顔を、狐のお面がのぞきこむ。浴衣の椿の模様が、鮮やかだ。

声を聞く限り、若い女の人。わたしと、あまり年齢が変わらないように思う。

わたしは、彼女を見ると同時に、あたりの様子も観察する。

四メートル四方ぐらいの部屋。天井には、光を放つ蛍光灯。その横には、くすんだミラーボール。壁には白い壁紙が貼られているけど、ところどころ破れている。

家具などもなく、ガランとしている。

あたりに、人の気配はない。夜店のにぎわいが、懐かしい。

お腹のすき具合から考えて、拉致されてから、そんなに時間は経ってないだろう。でも、早く帰らないと、またお母さんに怒られるだろうな……。

狐のお面が、わたしにきく。

「大声出して、助けを呼ばないの?」

「だって、むだでしょ」

今、わたしは猿ぐつわをされていない。大声を出されたくないなら、わたしの口をふさぐはずだ。

それに、まわりを見る限り、ここは廃業したカラオケボックスのようだ。ということは、ある程度防音もされているだろう。

下手に大声出して疲れるより、今は体力を温存しておいたほうがいい。

「あなたが、頭のいい子でよかったわ。ご褒美に、ほどいてあげる」

そう言って、狐のお面が、わたしを縛っていたロープをほどいた。

「暴れないの？」

この質問に、わたしはうなずく。

「わたしを自由にしても逃がさない自信があるからでしょ？」

すると、狐のお面が微笑んだようだ。

とりあえず、痛いことはされないようなので、わたしはホッとする。すると、この状況が気になってくる。

——どうして、わたしは拉致されたの？

身代金目当ての誘拐は、考えられない。わが家に、身代金を払う余裕はない。

——わたしが、かわいいから？

哀しいことに、これも考えられない。わたしの容姿は、一言で言えば〝普通〟。わざわざ拉致するほど、かわいくない。

そこまで考えて、わかった。

人ちがいだ！　わたしは、どこかの大富豪令嬢とまちがえられてるんだ。うん、これなら納得できる。

「あの……わたし、谷屋令夢ですけど――」

「知ってるわ。中学二年生。家族構成は、ご両親との三人暮らし。どこにでもいる、普通の女の子」

正解かしら？　という感じで、狐のお面がわたしを見る。

はい、正解です。

でも、一つだけはっきりしたのは、彼女はスリップのことを知らないということ。もし知っていたら、言ってるはずだ。ということで、わたしのスリップ能力を知った、超能力研究所みたいなところが誘拐したという筋書きは消えた。

じゃあ、いったいどうしてわたしを拉致したのか？

どれだけ考えてもわからないので、わたしは素直にきくことにした。

「質問してもいいですか？」

「答えられる範囲ならね」

狐のお面が、壁にもたれる。

「どうして、わたしを拉致したんですか？」

「わたしが受けた指令は二つ。一つは、商品のアフターケア。可能な限り、お客様のサポートをするように言われたの。でも、今回の客って、仲間も含めて美しくなかったのよね。だから、現場判断で、サポート終了したわ」

「………」

わたしは、狐のお面のセリフを考える。

商品のアフターケア……。その商品が何かを考えたとき、一つ思いあたった。

「あの、ひょっとして、古酒を盗む計画を売ったのって、あなたたちですか？」

「そうよ。ありとあらゆる計画を企画立案するのが、わたしたちの仕事。町内会の清掃活動計画から内紛地帯のテロ計画まで、依頼があれば、どんな企画も立ててあげるわ」

「それって、犯罪なんじゃないんですか？」

わたしが言うと、狐のお面が首をひねる。

「どうして？　わたしたちは、考えるだけ。考えるのは自由。いくら違法行為を考えても、それは罪にならないわ。実行するのは、あくまでも計画を買ったお客さん。アフターサービスで手伝ったりするときもあるけど、犯罪行為には手を出さない」

「…………」

「推理作家は、人殺しのトリックをいくつも考えるでしょ。でも、警察に捕まったりしない。そのトリックを実行したら捕まるけどね。それと同じよ」

――同じなのかな……？

説明されてもわからないので、わたしは考えるのをやめた。

「そして、もう一つの指令が、あなたを拉致して警告すること」

警告？

わたし、何か警告されるような悪いことしただろうか？　自慢じゃないけど、スーパーの買い物カゴはちゃんとかたづけてるし、学校の廊下は走らないようにしている。

首をひねるわたしに、狐のお面が説明する。

「あなた、触媒って習った？」

習ったかもしれないが、記憶に残ってない。

あいまいな微笑みを浮かべるわたしに、狐のお面が説明してくれる。

「過酸化水素 H_2O_2 に二酸化マンガン MnO_2 を加えると酸素が発生するでしょ。これを化学式で書くと、$2H_2O_2 \rightarrow 2H_2O + O_2$。この化学式に、二酸化マンガン$MnO_2$は出てこないでしょ。でも、二酸化マンガンがないと、反応は起こらない。この二酸化マンガンの役割が、『触媒』なの」

彼女の説明に、わたしは大きくうなずく。

これは、理解したという意味ではない。これ以上説明してもむだだよという意味だ。

「あなたは、ゲームを作っている二人に対して、触媒になるの。あなたがいることで、彼らのゲームは別次元の進化をする。だから、これ以上、二人と関わってはいけない」

えーっと……。

わたしは、彼女の言葉の意味を、一生懸命考える。気分は、現代国語の長文読解だ。

まず、ゲームを作ってる二人というのは、内人と創也君のことだろう。そして、わたしがいることで、内人たちが作るゲームがすごくなる……。う～ん、なんとなくイメージできるんだけど、意味がわからない。

何より、ゲームがすごくなるのは、いいことなんじゃないだろうか？

ダメだ、お手上げ。

わたしは、素直に質問する。

「わけがわかんないんだけど——。ゲームがすごくなったら、何がいけないの？」

すると、狐のお面が、わたしの眼前に迫る。

「人類のためよ。彼らのゲームが完成すると、人類は醒めない夢を見るわ」

醒めない夢？

ますます難易度が上がる。だいたい、そんな未来のことが、どうしてわかるの？

わたしの疑問を察したかのように、狐のお面が説明してくれる。

「組織には、時見がいるの。彼らには、未来が見えるわ」

時見？　月見なら、わかる。わたしは、うどんよりそばが好きだ。

「そんなに不思議な存在じゃないでしょ。だいたい、あなたの友達にもいるじゃない」

え？

わたしの頭は容量オーバーで、もう何も入ってこないし考えることもできない。

でも、ここはおとなしく言うことを聞いておいたほうがよさそうだ。

「よくわかりました。警告に従います。とにかく、内人とは話さないようにします。——これでいい？」

すると、狐のお面が考えこむ。

「そうなのよね。あなたがおとなしく警告に従ってくれたら、わたしの仕事は終わり——なんだけど。わたし、調子に乗って話しすぎちゃったみたい」

……ものすごく、イヤな予感がする。

「ごめんね」

どうやら、イヤな予感が当たったようだ。狐のお面が、オオカミに変身したように見えた。

わたし、絶体絶命！

すると、次の瞬間――。

ババババババババババババババ！

ドアが開くと同時に、爆竹が放りこまれた。あと、何かわからないけど、煙を吹き出す花火が多数――。すさまじい音と煙、そして、ちぎれ飛ぶ爆竹の破片。白い煙が充満して、何も見えない。

突然、腕を引っ張られる。

「逃げるぞ！」

内人の声だ。

わたしは、わけがわからないまま走る。

長距離走の苦手なわたしが、五分も走ったんだからほめてほしい。おまけに浴衣姿で足下は下駄。うん、よくがんばった。

だから、

「ちょ、内人！　ギブ！　もうダメ！　走れない！」

弱音を吐いても、誰からも責められることはない。

内人が足を止め、油断なくまわりを見る。誰も追いかけてきてないのを確認すると、大きく息を吐いた。

ここは、商店街の裏にある児童公園。

ベンチに一組のカップルが座っているだけで、ほかに誰もいない。

「あ〜、疲れた」

水飲み場で、水をがぶ飲みする内人。その間に、わたしは浴衣の着崩れを直す。

内人は、着物の裾を膝まで上げて帯にはさんでいる。

「徒競走で一等になったことないくせに、こんなときは速いのね」

感心してると、内人が、腰に手を当ててにらんでくる。

「もっと先に言うことあるだろ」

ああ、そうだった。

「助けてくれて、ありがとうね」

内人の表情が柔らかくなった。そして、浴衣の袂からスマホを出す。

「うん、見つかった。令夢は無事、大丈夫。このまま、送ってくから——」

どうやら創也君に連絡しているようだ。

通話を終えると、わたしにきく。

「で、どうして令夢は拉致されたんだ？」

「えーっと……」

どこまで本当のことを話すか迷った末、わたしは次のように言った。

「人ちがいだったみたい」

「…………」

しばらく考えて、内人はうなずく。

「だろうな。だって、令夢を誘拐しても、なんの得もないもんな」

微笑む内人。

——わたしがいると、あなたたちはたいへんなゲームを作るのよ。人類が醒めない夢を見ちゃうんだから。

こんなことを言ったら、どんな顔をするかしら。

きっと、わたしの額に手を当てて、こう言うんだ。

「お腹すいてるのか？」

だから、わたしは内緒にしておくことにする。

「それにしても、わたしが拉致されてる場所、よくわかったね」

「『迷子センター』に行ってもいないしさ。捜してたら、通り過ぎる人が『狐のお面をつけたやつが、軽々と女の子を担いでいた』って話をしてたんだ。きいてみたら、商店街の裏にある廃業したカラオケボックスのほうへ行ったって言うだろ。だから、あわてて駆けつけたってわけだ」

なるほど。

「でも、爆竹とか煙の花火とか、準備よかったね。さすが、無敵のサバイバー」

「いや、あの花火は、ぼくが用意したんじゃないんだ」

照れくさそうに、内人が言う。

「カラオケボックスの部屋を一つずつ調べていったら、ドアの前に、花火の入った袋が置いてあってさ。ドアに耳を近づけたら、中から令夢の声が聞こえる。聞いてると、なんだかヤバそうな雰囲気――。だから、花火に火をつけて中に放りこんだんだ」

聞いていて、わけがわからない。

「その花火、誰が用意したの？」

わたしの質問に、内人は首を横に振る。

「カラオケボックスへ行ったのを教えてくれたのは、どんな人？」

「それは――」

説明しようと開けた口が、止まる。

「あれ……？　どんな人だったかな？　背の高い二人組だったような気がするんだけど……」

はっきりしない内人の返事。

「男の人？」

「えーっと……。よくわかんないな。なんだか、蜃気楼を見たような気分だ。印象が、全然残ってない」

首をひねる内人。

「大丈夫？　記憶力が弱ってるんじゃない？」

そのとき、視界の隅にベンチが入る。さっきまで座っていたカップルがいない。

わたしは、カップルの顔を思い出そうとした。

あれ……？　印象がない。

「ねぇ、ねぇ、内人。さっきまで、あそこのベンチにカップルいたよね。どんな人たちだっけ？」

「なんだよ、令夢だって、記憶力が弱ってるじゃないか」

……うう、言い返せない。

落ちこむわたし。

内人が、夜空を見上げる。

「まぁ、いいや。夜店は楽しかったし、令夢も無事だった。日々是平穏。——帰ろうか」

「うん」

公園を出るとき、ふと思った。

——そういえば、狐のお面の人……。名前、なんていうんだろう？

まだ、夜店帰りの人が、ちらほら歩いている。

わたしと内人は、何も言わず並んで歩く。

あれ……？　なんだか、夜風が熱い。

みょうに歩き方を意識してしまう。右足を出して、左足を出して――。歩き方って、これでよかったっけ？

ひょっとして、隣にいる内人を意識してるの？

いやいや、そんなことはない。内人とは、今まで数え切れないぐらいいっしょに歩いている。いまさら、意識するはずないじゃない。

そんなわたしの気持ちを知ってか知らずか、内人が大きなアクビをする。おい、わたしが意識してるのに、なんであんたは普通なのよ？

「あ～あ、今夜は徹夜か――」

そのつぶやきに、わたしは驚く。

「なんで？　徹夜でゲームでもやるの？」

内人が勉強するとは、考えられない。

「原稿だよ。明日、岩崎さんと書き上げたところまで持ち寄って、見せ合う約束してるんだけどさ――。切りのいいところまで、書けてないんだ」

「そりゃ、たいへんね。でも、好きで書いてるんでしょ？」

「穏やかな地獄だよ」

内人が、わたしの冷たい言葉に、ため息をついた。

わたしは、何げなくきく。

「岩崎さんは、どんな内容の小説を書いてるの？　ＳＦミステリーって言ってたけど」

「ＳＦの舞台設定で、そこで起こる事件を解決するミステリーっていうのかな……。主人公は、並行世界を移動できる能力を持っていて、移動した先の世界で事件に巻きこまれるんだ」

次の瞬間、わたしは内人の胸ぐらをつかんでいた。

「詳しく聞かせて！」

STAGE10　選ばれし者の恍惚と不安と困惑と疑問と戸惑い、そして夏なんです

ここは、虹北商店街のお好み焼き屋『一福』。

商店街に、夜店のときの活気はない。歩いている人はいるが、お客さんというより、「虹北商店街を抜けると、駅まで近いから」という人ばかりだ。

店の中にいるのは、この間のメンバーと同じ。厨房のほうが静かなのは、バイトの女の子が馘首になったから？

ただ、座っている位置がちがう。

わたしは、亜衣ちゃんの前——内人の隣。

そして創也君には、隣のテーブルに座ってもらった。亜衣ちゃんと背中合わせの位置で、彼女の話を聞いてもらうためだ。

あと、先日と大きくちがうのは、夢水さんが何も注文してないこと。お金がないのに食べちゃいけないと学習したようだ。

「ごめんね、ついてきちゃって」

わたしは、真っ先に亜衣ちゃんに言った。彼女は、どうしてわたしがいっしょにいるのかを、怪しがっている。

「内人に、岩崎さんが書いてる小説の話を聞いたら、ものすごくおもしろそうで――。よければ、読ませてもらおうと思って。いいかしら?」

言いながら、わたしは亜衣ちゃんを観察。ショートボブで、意志の強そうな目が、わたしを見ている。何より、かわいい。

――こんなかわいい娘が、内人に好意を持つ確率は……。

計算機を使うまでもなく、答えが出た。『0』だ。

わたしは、隣にいる内人を見る。強く生きるのよ……。

そんな哀れみの視線に気づかない内人が、亜衣ちゃんに言う。

「ごめんね、岩崎さん。無理言って――」

「かまいません。たくさんの人に読んでもらいたくて、書いてるんですから」

笑顔で原稿を出す亜衣ちゃん。この意識――じつに、プロ作家に向いている。

わたしは、お礼を言ってから原稿をめくる。手書きじゃない。A4サイズの紙に一行四十文字の文章が、三十行並んでいる。

主人公は、中学一年生の女の子。自分と同い年の設定なのは、書きやすいからだろうな。

物語は、並行世界を移動できる能力を持った主人公が、移動した先の世界で、前の世界とのちがいに戸惑うところから始まっていた。

この主人公の気持ち、イヤになるぐらいわかる。

最初に、ドキッとしたのは、能力の名前。わたしは〝スリップ〟と呼んでるけど、亜衣ちゃんの小説でも同じ名前がついていた。

これは、偶然なの……？

わたしは、心臓がドキドキしてるのを悟られないよう、笑顔を作ると言う。

「やっぱりおもしろいわ。とくに、このスリップ能力――。岩崎さんが考えたの？」

「はい。でも、ヒントをくれたのは、教授です」

わたしは、夢水さんのほうを見る。

さっきまで、ほかのお客が食べてるお好み焼きをよだれを流しながら見ていた夢水さん。わたしのほうへ顔を向けると、よだれを拭いた。

わたしは、夢水さんの洋館に来ている。

付き添いは、わたしのスリップ能力を知っている創也君。卓也さんは、洋館の外に停めた車で待っている。

亜衣ちゃんとの打ち合わせがある内人は置いてきた。あと、彼女の妹たちは、自主的に残るって——。

洋館に入って驚いたのは、本の量。

本で埋め尽くされた部屋というのは想像できるけど、廊下や階段まで本があふれてるのは想像外の風景。そして、いちばん驚いたのは玄関まで本の山が侵食してたこと。

——倒産した出版社？　夜逃げした古本屋？　地震の直撃を受けた図書館？

目に見える風景を表現するのに、いろいろ考えたけどピッタリ来たのは、本の館。とにかく、山のように本がある。

そして、テレビとかタンスとか、一般的な家電や家具は見当たらない。

——こんなところで、生活できるの？

そう思って夢水さんを見ると、人間以外に見えてきた。

夢水さんが、応接室と思われる部屋に、わたしと創也君を通す。応接室と思ったのは、本の山の間にソファーとテーブルがあったからだ。

わたしたちが名前を言うと、

「改めまして、夢水清志郎です」

夢水さんが名刺を出す。『名探偵　夢水清志郎』とだけ書かれた、素っ気ない名刺だ。

「恥ずかしがることなく、名探偵さんって呼んでいいよ」

わたしと創也君は、ソファーに並んで座る。

「夢水さんは、ここに一人で住んでるんですか？」

創也君がきいた。

恥ずかしがり屋さんだねという目で創也君を見てから、夢水さんが口を開く。

「そうだよ」

「お仕事は、なんなんですか？」

わたしがきくと、おバカさんだねという目で見てくる。

「名刺に書いてあるだろ。名探偵だよ」

——名刺を見てもわからないからきいたんだけど……。

夢水さんが、わたしたちの前のソファーに座った。別に飲みたいわけじゃないんだけど、お茶を出したりはしてくれないみたいだ。

「それで、ぼくにききたいことというのは——？」

「岩崎さんの小説のヒントになった、スリップについて、教えてください」

質問したのは、わたしだ。

「…………」

夢水さんは、腕（うで）を組んでしばらく考える。

そして、わたしを正面から見ると、口を開いた。

「スリップについて話す前に、ぼくも知りたいことがあります。谷屋令夢（たにやれむ）さんは、**スリップ能力を持ってますね**？」

いきなり、爆弾（ばくだん）を投げつけられたような気分だ。

——どうしてわかったんだろう……？

創也君を見ると、彼（かれ）も驚（おどろ）いている。

夢水さんが、フッと笑う。

「ぼくは、名探偵（めいたんてい）ですよ」

立ち上がると、床（ゆか）に積まれた本の山を縫（ぬ）うようにして、歩き始める。

「おかしいなと思ったのは、『一福』での令夢さんの様子です。あなたは、『おみくじお好み焼き』を見たとき、『おみくじ』というものが理解できていなかった。今は、どうですか？」

わたしは、首を横に振る。

前の世界に、おみくじなんてものはなかった。その言葉を耳にするたび、なんだか不思議な気持ちがした。

「中学生の女の子なら、常識として知っているおみくじ。なぜ、令夢さんは知らないか？　まず考えたのは、あなたが帰国子女で外国暮らしが長かったから――。でも、『いただきます』とか箸の使い方は、きちんとできている。会話の内容からも、ずっと日本で育ったことがわかる」

そういえば、小学校のころの運動会の思い出を話してたっけ。

「ずっと日本にいる。なのに、おみくじを知らない環境。この説明をするのに、令夢さんが、おみくじのない世界から来たという答え以外を、ぼくは見つけることができませんでした」

――正解です、夢水さん……。

「よければ、この世界と、あなたがいた世界のちがいを話してもらえませんか？」

夢水さんに促され、わたしは、終業式の朝からのことを話す。

前の世界で亡くなっていたお母さんが、生きていたこと。

「内人が、小説を書いていました。あと、創也君が――」

わたしは、創也君を見る。少し迷ったけど、これは正直に言ったほうがいいと考えた。

「前の世界ではいませんでした」

「…………」

顔を伏(ふ)せる創也君。

わたしは、続ける。

「芝原(しばはら)さんと田添(たぞえ)さんは、前の世界でも仲がよかったです。それから――」

いろいろ話をしていく。でも、前の世界とのちがいは、そんなにない。

「あっ、そういえば、虹北商店街の入り口にある公園というか空き地というか――あんなのは、ありませんでした。前の世界では、あそこは消防団の倉庫でした」

これを聞いて、夢水さんと創也君が、顔を見合わせる。

「令夢君……。きみ、神社を知らないの？」

ジンジャ……？

創也君にきかれたけど、わからない。

「生姜(しょうが)のこと？」

「それは、ジンジャー」

創也君が、すかさず突っこんできた。

「これでわかった。令夢君がいたのは、〝神〟や〝仏〟という概念が存在しない世界なんだ」

カミ……？

ホトケ……？

どちらも、初めて聞く言葉だ。


夢水さんが、説明してくれた。

この世界には、神とか仏というものがあって、人は、困ったときには助けてくれってお願いするんだって。

「そうしたら、助けてくれるんですか？」

「う～ん」

夢水さんが、腕を組む。

「どうなんだろうね？　ぼくは、宗教的な神の存在を信じてないから」

なるほど、信じてない人もいるんだ。

「神社には神様がいて、お願い事をする場所なんだ。おみくじは、これから先が『よい』か『悪い』かを占った結果が書いてある」

「当たるんですか？」

また、夢水さんが腕を組む。

「まぁ、占いだからね。当たるときもあるし、外れるときもある」

「そんな当たるか当たらないかわからないものを、お金を払って買うんですか？」

わたしには、理解できない。

「ぼくからも聞かせてほしいな」

創也君が、口を開いた。

「人は、死んだらどうなると思ってるの？ 天国や地獄に行くの？ いや、その前に、天国とか地獄とかは知ってる？」

「天国や地獄って言葉はあるよ。幸せなときは『天国にいるみたいだ』って言うし、最悪なときは『地獄だぁ～！』って叫ぶもん。でも、死んだら天国や地獄に行くとか言う人は、いないわ。人は、死んだら土に還る。それだけ――」

「じゃあ、魂は？」

「消えるんじゃない？」

わたしの、あっさりした答えに、創也君はなんだかショックを受けたみたい。わたしの性格、ドライなのかな……？

「神様という概念を持っていない令夢さんには理解しにくいかもしれませんが、この世界には、神のような存在がいます」

夢水さんが言う。

わたしだけでなく、創也君も驚いている。

創也君が、きく。

「矛盾しませんか？　さっき、夢水さんは、『神の存在を信じてない』と言いましたよね？」

「ぼくが信じないのは、聖書とかに出てくる宗教的な神のことだよ。あれは、人間が頭の中で考えたもの。大衆に理解できるように、編集されたものだ。そして、これから話すのは、人間には感知できない本物の神の話――」

夢水さんの話を、創也君は一生懸命理解しようと聞いている。

わたしは、わりと理解できる。

だって、もし神のような超絶対的全知全能の存在がいたとしたら、人間の小さな頭で理解できるはずがない。もしできるとしたら、それは人間にもわかるように考え出された偽物(にせもの)だ。

「まだ矛盾(むじゅん)してますよ。夢水さんの言う本物の神は、感知できない存在ですよね？　感知できないのに、どうして、存在するといえるのですか？」

また、創也君がきいた。

それに対し、夢水さんが口を開く。

「夢……。人は、夢の中でだけ、本物の神の存在を知ることができる」

そして、哀(かな)しそうな顔をした。

「あの……」

わたしは、口をはさむ。

「夢水さんは、夢の中で、本物の神の存在を知ったのですか？」

うなずく夢水さん。

「そうだよ。そして、それは、ぼくだけじゃない。世界中に、ぼくのような存在がいる。ぼくは、たくさんのことを、夢の中で知った」

「………」

わたしたちは、黙(だま)りこむ。

まわりを見る。時計のない部屋。時間の流れがわからない。

夢水さんが、口を開く。

「亜衣ちゃんから聞いたんだけど、創也君は内人君といっしょにゲームを作ってるんだね」

突然、夢水さんが話題を変えたので、創也君は戸惑う。

「ええ、まぁ……」

「ぼくはゲームに詳しくないんだけど、最初は簡単なステージで、だんだん難しくなっていって、最終ステージでラスボスを倒して終わり——こんな感じなのかい？」

「そうですね。そういう流れのゲームもあります」

「ふむ……」

夢水さんが、思考を整理しようとするかのように立ち上がる。

「じゃあ、プレイヤーについても教えてもらおう。プレイヤーは、ゲームの内容に合わせて特殊な装備や能力をもらえるのかな？」

「はい。そして、ゲームを進行しながらレベルアップするのが一般的です」

夢水さんが、満足そうにうなずく。

聞いていたわたしは、考える。

ゲームの内容に合わせた特殊な能力……。

「ひょっとして、わたしのスリップって……？」

このつぶやきに、夢水さんは、軽く首を振る。

「スリップ能力については、ずっと前に、夢で見たんだ。でも、なぜ、そのような能力があるのか？　それが、なぜ、令夢さんに与えられたのか？　ぼくには、わからない」

「ぼくにも教えてください。ひょっとして、この世界は、ゲーム世界の一部なんですか？」

創也君がきいた。

「わからない。でも、令夢君が、この世界に来てからのことを思い出してほしい」

終業式の日の朝――。

学校の壁に、落書きがあった。そして、商店街にも……。

それらの謎は、創也君や恭助さんによって、解かれた。これは、ステージをクリアしていったということ？

そして今、残っている謎は、校庭に書かれた落書き。あれが、ラスボス……？

わたしの体が、ブルッと震える。

ラスボスを倒せば、ゲームクリア。ゲームは終わる。

「ぼくらは、プレイヤーなんですか……？」

創也君が、独り言のようにつぶやいた。

夢水さんが、首を横に振る。

「それはちがう。プレイヤーは、神。ぼくらは――」

少し言葉を切ってから、断言する夢水さん。

「駒だよ」

将棋の駒にされた者の気持ちがわかるか！　――昔、お父さんに借りたマンガに書いてあったセリフだ。

――物置にしまってあったっけ？　帰ったら、捜してみよう。

そんなことを考えるぐらい、わたしの気持ちは落ち着いていた。

夢水さんの洋館を出て、大きく深呼吸。

さっき聞いた話を、頭の中で整理する。

わたしたち人間は、ゲームの駒。神の遊び道具。でも、だからといって、それがわたしにとってなんだっていうの？

そりゃ、突然スリップさせられたら戸惑うけど、退屈な日常を送ってるだけの人生より数倍刺激的だ。

現に、この世界に来て、わたしは楽しんでいる。

創也君を見ると、なんだか複雑な表情をしている。彼のようにプライドの高い人間は、ゲームの駒にされるのは我慢できないのだろう。

だけど、文句を言おうにも、相手は神——。ゲームのメーカーにクレームの電話を入れるような具合にはいかない。

わたしは、創也君の肩をポンと叩く。

「あんまり難しく考えないほうがいいんじゃない?」

苦笑する創也君。

すると、

「創也に令夢——。夢水さんの話、終わったのか?」

内人に声をかけられた。

隣の家の前に、内人と亜衣ちゃんが立っている。そういや、夢水さんの洋館と亜衣ちゃんたちの家は、隣同士だった。

「まぁね。なかなか、勉強になったよ」

創也君が言った。そして、わたしにだけ、こっそりウィンクを送る。これは、夢水さんの話は黙（だま）っていようという意味だ。

わたしは、うなずく。

「そっちは、どうなんだい？」

創也にきかれ、内人はVサインを出す。

「なんてったって、八月末が締め切（しき）りだからね。がんばってるよ」

内人の横で、亜衣ちゃんも微笑（ほほえ）んでいる。

わたしは、こそこそと亜衣ちゃんに近づき、こっそりきく。

「教えてほしいんだけど、岩崎さんの小説、どんな展開になるの？」

「今、考えてるのは――」

亜衣ちゃんの話してくれたところによると、スリップ能力をほしがる組織や国際刑事警察機構（ICPO）、暗殺者集団などに主人公の女の子は狙（ねら）われる。でも、超（ちょう）楽観主義者で運のいい主人公は、それらの危機を軽々と乗（の）り越（こ）え、スリップ先で知り合った男の子と恋仲（こいなか）になる。

最後、女の子は元の世界にスリップする。男の子と会えなくなり、女の子はものすごく哀（かな）しむんだけど、今度は男の子が女の子の世界にスリップしてきてハッピーエンド。

なんという、ご都合主義な展開！

でも、ハッピーエンドというところが、ものすごく気に入った。

わたしは、亜衣ちゃんの手を取り、両手で振る。

「感動したわ！　ぜひ、主人公を幸せにしてあげて」

「はい……がんばります」

引きつった顔で、亜衣ちゃんが答える。

創也君が、わたしと内人に言う。

「ぼくは、これから砦へ行くよ。令夢君を送っていくのは、内人君にお願いするよ」

これを聞いて、内人がわたしを見る。

「いいのか？」

「何が？」

「創也に送ってもらわなくてもいいのか？——って意味だよ」

なんなのよ、その言い方。

わたしは、抗議の意味を込めて、ひじで内人を突く。

「…………」

内人が、やり返してくる。当然、わたしもやり返す。

二人でゲシゲシやってると、突然、大量の水が頭の上から降ってきた。水浸しになる、わたしと内人。

――ゲリラ豪雨？

見ると、岩崎家の塀の中から、バケツを持った真衣ちゃんが顔を出す。

「ごめんなさい。お花に水やりしてたら、手が滑っちゃった」

……どんな水やりの仕方したら、わたしたちが水浸しになるんだろう？　いや、それ以前に、岩崎家ではバケツで水やりするの？

「真衣は、心配してるの。亜衣が原因で、内藤さんと谷屋さんがケンカしてるんじゃないかって――」

タオルを持った美衣ちゃんが、真衣ちゃんの隣に顔を出した。

いや、ケンカの原因は、亜衣ちゃんというより創也君なんだけどな……。

「真衣に美衣！　何やってんのよ！」

亜衣ちゃんが怒る。逃げる二人。でも、その前に、美衣ちゃんがタオルを投げてくれた。

「仲のいい姉妹だね」

そう言って、創也君が、卓也さんが待つ車のほうへ行く。

髪の毛から水滴を垂らしながら、内人がわたしに言う。

「帰るか？」

「……うん」

うなずくわたしの髪からも、水滴が落ちた。

その日から――。

わたしたち三人は、夏休みを満喫する。

肝試しにプールにハイキング。合間に、夏期講習。思い出したときに、宿題。

でも、どれだけ楽しくても、何か引っかかっていた。

――ワタシハ、コノ世界ノ人間ジャナイ。

いつかは元の世界にスリップすると思うと、心の底から楽しめない。

内人には、スリップのことは言えない。言っても気にしないだろうけど、言いたくない。

そんなわたしを、内人が心配そうな目で見る。

心配しないでと言いたい。でも、そのときには、楽しめない原因――スリップのことも言わないといけなくなる。

ため息……。

すると、ますます内人が心配してくる。悪循環って、こういうことを言うんだろうな。

お盆が過ぎ、海には三角波が立ち、クラゲが押しかけてきたころ――。

三人で行ったハイキングの帰り道。内人は、わたしたちに合わせて歩いてたんだけど、どうしても先に進んでしまう。

遅れるわたしたち二人。創也君が、わたしに言う。

「令夢君の元気がないように見えるけど、それは、スリップのことを気にしてるからかな？」

正解だ。

「そして、内人君の元気がないように見えるのは、そんな令夢君を心配してるからかな？」

正解だ。

「そして、内人君は『令夢は創也と二人きりで遊びたいのに、ぼくがいるから元気がないのかな？』と思ってるのかな？」

なんですと？

「そして、『おじゃま虫がいなかったら、令夢は元気に創也と遊ぶんじゃないか』——そんなふうに考えてる」

わたしは、驚いて創也君を見る。

創也君が、わたしを見てウィンクを一つ。

「内藤内人って人間は、そんな過剰な想像力を持った人間なんだよ。彼といっしょにいると、退屈しない」

「…………」

わたしは、ため息をつくしかない。そりゃ、小説を書こうって人間だから、想像力過多だとは思ってたけど……ここまでバカとは……。

創也君が、言う。

「そして内人君は、こう言うね。『あのさ、小説がなかなか進まないんだ。花火大会に行ってる余裕がない。悪いけど、二人で行ってくれ』ってね」

八月の三十一日、M川の花火大会がある。三人で行こうって約束してたんだけど……。

しばらく歩くと、内人が待っていた。

追いついてきたわたしたち二人を見ると、口を開く。

「あのさ、小説がなかなか進まないんだ。花火大会に行ってる余――」

わたしは、距離(きょり)を詰(つ)めると、その口を手でふさいだ。

そして、殺気を込(こ)めて言ってやった。

「男の子なら、必死で原稿(げんこう)を書きなさい。そして、花火大会までに仕上げなさい」

内人が、ガクガクとうなずいた。

BACKSTAGE　名探偵(めいたんてい)と怪盗(かいとう)が安らかな時間を過ごす

雲一つない夜空――。

降り注ぐ月光で、街が銀色に輝(かがや)く。

夢水(ゆめみず)は、洋館の窓辺にソファーを運ぶと、寝転(ねころ)がって本を開いた。

しばらくすると、窓から入った風がページをめくる。

「Bonsoir(こんばんは)、夢水君」

その声に、夢水が本から顔を上げる。

月の光を背に、クイーンが立っている。

「そろそろ、来るんじゃないかと思ってましたよ」

本を置くと、いそいそと立ち上がり、テーブルの上をきれいにする夢水。

「――あっ、今日はゆっくりしてられないんだ。だから、何も持ってきてないんだ」

あわてて、クイーンが言った。

夢水は、誰が見てもはっきりわかるぐらい、ガッカリする。クイーンが料理を持ってくると思っていたのだ。

ソファーに戻ると、横になる夢水。何も病気にかかってないのに、どんな重病人よりも具合が悪く見える。もし今、夢水にベッドサイドモニターがつけられていたら、脈拍、呼吸数、血圧、体温——すべてが生命危機レベルの数値を示すだろう。

クイーンが、あわててＲＤに連絡を取る。

「緊急事態だ。ファストフードを、コンテナいっぱいに用意してくれ。種類？　食べられたら、なんでもいい。友人の命が、かかってるんだ！」

「いやぁ、このパニーノは絶品ですね！　使ってあるパンがいい！」

パニーノとは、具材をパンではさんだイタリア料理だ。

テーブルの上には、ハンバーガー、ホットドッグ、フライドチキン、ピザ、ケバブサンド、シシカバブなどが、山のように積まれている。

それを、片っ端から口に運んでいる夢水。もし今、夢水にベッドサイドモニターがつけられていたら、あふれる生命力で機械が爆発するだろう。

その様子を、クイーンは、向かいのソファーにぐったり座って見ている。

――トルバドゥールから食料を積んだコンテナが下りてくるまで、八分三十二秒。ＲＤは、よくがんばった……。

「あなたは、食べないんですか？」

夢水が、ピザを勧める。

「ありがとう。でも、食欲がないんだ」

引きつった笑顔で、断るクイーン。次の瞬間、ピザは、夢水の口の中に消えていた。

――手品か？

フィルムを早回しするみたいに、テーブルの上からファストフードが消えていく。

すべてが夢水の口に消えるまで、七分二十五秒しかかからなかった。

優雅なしぐさで、ナプキンを使う夢水。

「それで、今日は、なんの用なんですか？」

ようやく本題に入る。

「この間、きみに頼まれた仕事だけど、もう、わたしがいなくても大丈夫だ。だから、その報告に来たんだよ」

「頼んだ……？」

夢水が、首をひねる。

「『守ってほしい女の子がいる』。きみは、そう言ったじゃないか。まさか、怪盗のわたしに頼み事をしておいて、忘れたと言うんじゃないだろうね？」

クイーンの目が、鋭くなる。

けっして、そのようなことはありません——夢水が、右手をヒラヒラ振った。

——ぜったいに、忘れてるな。まぁ、仕方ないか。彼に記憶力がないのは、今に始まったことじゃない。

クイーンの目が、優しくなる。

「さて、報告はすませた。きみも、お腹がふくれただろうし、わたしは行くよ」

ソファーから、立ち上がるクイーン。

「もう行くんですか？」

「わたしも、もう少し日本を楽しみたかったんだけどね……。探偵卿が何人か追いかけてきている。彼らと遊ぶと疲れるからね」

「名残惜しいです」

心底、残念そうに夢水が言った。

「さっきRDから、『もう食べ物は出せませんよ』と、連絡があった」

「そうですか。気をつけて帰ってくださいね。――あと、心の片隅に置いておいてもらえばいいんですが、今度は中華がいいです」

夢水が、手を振る。

「RDに、伝えておくよ」

ため息をつくクイーン。窓辺に行くと、トルバドゥールから伸びるワイヤーを手に取った。

「これから、ナイル川へ行くんですか?」

夢水がきいた。

「その前に、アメリカへ城を見に行こうと思ってね」

「ディズニーランドですか?」

「まさか――」

肩をすくめるクイーン。

「向こうに、気になる城があるんだ。しばらく、調査してみる。ナイル川に行くのは、その後だよ」

「忙しそうですね」

「まったく……。仕事をする時間がないぐらいだよ」

クイーンが、苦笑する。

【適当なことを言ってないで、早く帰ってきてください】

「あなたの言う『仕事』の定義を、理解できるように説明してほしいですね」

クイーンがつけている通信機から、ＲＤとジョーカーの声がする。それは、夢水には聞こえない。

深呼吸すると、銀色の髪が揺れる。握手するために、右手を伸ばすクイーン。

「それでは、夢水君。いずれまた、赤い夢の世界で――」

「中華を、お忘れなく」

夢水も、笑顔で手を伸ばす。

二人が握手しようとする瞬間、すごい勢いでワイヤーが回収される。

「Au Revoir～!」

まるで、一本釣りされたカツオのように、夜空に吸いこまれていくクイーン。

それを見た夢水は、中華ではなくカツオの叩きを注文すればよかったと思った。

STAGE11　花火大会の夜は更け、ラスボスは静かに眠る

「いつの間にか、大きくなったわね」

わたしに浴衣を着せながら、お母さんが言う。

今日は、花火大会の日――。待ち合わせの時間まで、まだだいぶ時間があるのに、お母さんは早く用意しろとうるさい。

「お母さんが着ていた浴衣が、ピッタリなんだからね。驚いたわ」

「夜店のときに着た浴衣は？」

わたしがきくと、お母さんの顔が厳しくなった。

「どんな着方をしたのか知らないけど、かぎ裂きはあるし、汚れてるし――。とてもじゃないけど、着せられないわ」

――はい、すみません。でも、それはわたしの責任ではなく、狐のお面のせいなんです。

でも、そんなことをお母さんに言えない。よけいな心配させたくないもんね。

「はい、完了(かんりょう)！」

お母さんが、帯をポンと叩(たた)く。

「うん、立派なお嬢(じょう)さんだわ」

わたしを見る目。なんだか、少し潤(うる)んでる。

「どうしたの、お母さん？」

「ああ……さっき昼寝(ひるね)したとき、おかしな夢見て」

夢……。わたしの心臓がトクンと音を立てる。

お母さんが、話し始める。

「夢の中で、お母さんは家にいるの。令夢(れむ)たちはどこかなと思って捜(さが)したら、居間にいて……。お父さんと楽しそうに話してる。お母さんも仲間に入れてもらおうと思ったら、いすに座(すわ)れない。テーブルに手を突(つ)いても、すり抜(ぬ)けてしまう。そして、思い出したの。お母さん、死んでるんだって――」

「…………」

「でもね……。最初は怖(こわ)いと思ったんだけど、『死んでも、こうして令夢たちを見ていられるんだ』って思ったら、とっても静かな気持ちになってね」

お母さん……。

「だからね、令夢。もし、わたしが死んだら、そんなに哀しまないでね。そりゃ、お母さんだって長生きしたいけど、運命だったら仕方ないから……」

「…………」

わたしは、お母さんに抱きつく。

お母さんが、わたしの頭に手を載せる。

「大丈夫よ、令夢。お母さん、百二十歳まで生きるつもりだから」

朝から、煙だけの花火が三十分ごとに上がっている。

夜店の日とちがい、太陽が高い位置にあるときから、たくさんの人が動いている。場所取りをするため、ゴザを持った家族連れ。ワクワクして走っていく子どもたち。みんなの気持ちの中では、もう花火大会は始まっている。

わたしは、少し早いけど、待ち合わせ場所へ行く。

内人と創也君を待ちながら、お母さんが見た夢の話を考える。

——どうしてお母さんは、自分が死んでる夢を見たんだろう？　これって、わたしが元の世界に戻る前兆なのかな？

頭を振って、イヤな考えを飛ばす。

わたしは、この世界が好きだ。帰りたくない。できるなら、ずっとここで暮らしたい。

――……大丈夫。心配ない。元の世界に戻るのは、何かを解決したり成しとげたりしたとき。

学校の壁や商店街のシャッターに描かれた落書きの謎は、創也君や恭助さんに解かれてしまった。でも、まだ校庭の落書きは、誰がなんのために描いたのかわかっていない。

わたしは、一人うなずく。

――あの謎が解けない限り、わたしは、この世界にいられる。

そう思うと、少しホッとする。

――いらない心配しないで、花火大会のことを考えよう。内人たちと花火を見て、この間食べられなかった屋台の焼きそばを買って、思いっきり楽しもう。そして、明日からの二学期に備えるんだ！

気合を入れてると、内人がやってきた。一人だ。

「あれ？　創也君は？」

「それが、急な用事が入ったとか言って――。なんか、竜王グループの一大事とか言ってたけど、本当かな？」

「…………」

わたしの頭の中で、創也君がウィンクをした。

「それで、今日は浴衣(ゆかた)じゃないんだ」

わたしは、内人の服装を見る。スニーカーにTシャツ、ジーパン。いつもの内人らしいといえば、内人らしいファッションだ。

「創也がいても、今日はジーパンで来ようと思ってたよ。だって、浴衣だと、この間みたいなことがあったとき、動きにくいだろ」

「…………」

なるほど。わたしのことを心配してくれてるのか。

うん、ちょっとうれしい。

「行こう、内人」

わたしは、内人の背中を押(お)し、花火大会の会場——M川の河川敷(かせんじき)に向かって歩き出す。

川の上流——山の向こうに太陽が沈(しず)むころ、花火大会の開会を告げるアナウンスがあった。

集まった人たちの中から、歓声と拍手が起こる。

堤防の上から、河川敷を見る。観覧席が作られ、すでにたくさんの人で埋め尽くされている。

そして、立ち並ぶ屋台。

二台の巨大クレーンを使って、川沿いに二百メートルほどワイヤーが張られている。高さは、ビルの十階ぐらい。そのワイヤーから、シャワーのように色とりどりの火花が降り注ぐ。

そして、沸き起こる歓声をかき消すように、一発目の花火が上がった。

二発目、三発目――。

花火大会のオープニング――最初のスターマインだ。夜空を震わせる音と、闇を吹き消す極彩色の光の連続。

次から次へと上がる花火。わたしたちは息をするのも忘れて、見惚れる。

そろそろ窒息するんじゃないかと思ったころ、スターマインが終わった。最後の花火の音がエコーのように響く。それをかき消すように、歓声と拍手。

「毎年見てるけど……すごいね」

わたしの言葉に、内人もうなずく。

スターマインの次は、十号玉花火が打ち上げられる。

わたしたちは、観覧席に座らず、屋台などを冷やかしながら花火を見る。

「あれ？　あの外国人、夜店でもいたよね？」

忘れようと思っても忘れられない、白いロングコートを着て、刀を持っていた人だ。今は、『コンビニ仙ちゃん出張所』と書かれた屋台で、焼きそばを焼いている。

「旦那、手首の返しが甘い！　そんなんじゃ、ほかの屋台に勝てないだろ！」

金髪ピアスのお兄さんに怒られている。

「コスプレイヤーじゃなかったのかな？」

わたしのつぶやきに、内人が反応する。

「ぼくの推理では、帰りの旅費がなくなったから、屋台でバイトして稼いでるんだろうね」

なるほど。わたしは、内人の推理に納得する。

「そういや、小説は書き上がったの？　今日が締め切りだったんでしょ？」

「なんとかね……」

疲れた声が返ってきた。

そうか、締め切りを守ったのか。えらい、えらい。

「岩崎さんは、間に合ったかな？」

「大丈夫みたいだね」

内人の視線の先を見ると、ふくらんだビニール袋をいくつも持った亜衣ちゃんがいる。横には小柄な男の子。弟かな？

「あっ、内藤さんに谷屋さん」

わたしたちに気づいた亜衣ちゃんが、手を振ろうとしたんだけど、ビニール袋をたくさん持ってるためにできない。

横にいる男の子も、両手にいっぱい持っている。

「すごい荷物だね」

内人が言うと、

「だから、おれが全部持ってやるって言ってんだよ」

亜衣ちゃんの隣で、男の子が言った。女の子とまちがえそうなぐらい、髪の毛が長い。

「弟さん？」

そうきいたわたしを、ものすごい目でにらんでくる。

「小さいけど、クラスメイトです」

「小さいって、言うな！　そのうち、岩崎より大きくなってやるからな！」

今度は、亜衣ちゃんにかみつく。

ビニール袋からは、タコ焼きやイカ焼き、唐揚げのにおいがしてくる。

「教授に買ってくるよう頼まれたんです。——これから教授の洋館で花火を見るんですけど、内藤さんたちも来ませんか？」

「バカか、おまえは？　デート中のカップルを、誘うんじゃねぇよ」

男の子の言葉に、わたしと内人は、ドキッとする。

カップル？　……わたしたち、そんなふうに見えてんの？　何か言おうとしたんだけど、その前に、亜衣ちゃんが男の子に吠える。

「何がバカよ！　知性ゼロのレーチに、言われたくないわね！」

レーチ？　この男の子、レーチっていうのか。変わった名前だ。

「はいはい。それより、早く行こうぜ。夢水さんが待ってんだろ」

レーチ君が、亜衣ちゃんの文句を軽く受け流し、わたしたちに背を向ける。

亜衣ちゃんは、わたしたちに頭を下げると、あわてて後を追う。

「まったく……。偶然おれと会ったからいいものの、岩崎一人で、どうやって運ぶつもりだったんだよ」

レーチ君の声が聞こえる。

「なんとかなると思ってたのよ。ちなみに、荷物を置いたら、レーチは帰っていいからね」

「なんだよ！　運ばせるだけ運ばせて、食わせてくれないのかよ！」

「あんたが勝手に持ってるんでしょ！　わたしは、頼(たの)んでないわよ」

言い合いながら、人混みの中を歩いていく二人。

「仲いいね」

わたしが言うと、内人もうなずく。

「レーチ君って、岩崎さんのことが好きなんだろうな。偶然(ぐうぜん)会ったって言ってるけど、嘘(うそ)だね」

「そうなの？」

「これだけ人がいるんだよ。すぐ近くに知ってる人がいても、気づかないかもしれないのに、偶然会ったっていうのは無理があると思わない？」

なるほどね……。

「でも、なんだかストーカーっぽくない？」

わたしが言うと、内人が哀(かな)しそうな顔になる。

「そこまで言ってやるなよ。男の子って、好きな娘(こ)に会うために、必死で〝偶然〟しようとする生物なんだから」

うーん、よくわかんない。

「内人も、そうなの？」

「令夢が隣にいなかったらね」

一瞬、時が止まる。まるで、心臓に激しい一撃を受けたみたい。

「あっ、ちょ！　誤解すんなよ！　今のは――」

あたふたと内人が言ってるけど、何を言ってるか耳に入ってこない。

わたしは、彼の背後に回ると、その背中を押す。

「行こう……」

夜だからといって安心できない。花火の明かりが、わたしの顔色をはっきりさせるから――。


十号玉の打ち上げが終わった。これからは、創造花火だ。

花火師が独自に考えた創造花火。普通の花火は、夜空で丸く開くけど、創造花火は丸いとは限らない。

いろんな形の花火が、夜空に描かれる。

それらを、わたしと内人は、歩きながら黙って見ている。

何か言おうと思うんだけど、何を言ったらいいのかわからない。どうやら、そう思ってるのは、わたしだけじゃない。

内人も、さっきから何度も頭をかいたり腕を組んだり――落ち着かない。

そのとき――。

「あっ」

内人が声を上げた。視線の先を見ると響子さんと恭助さんがいる。

響子さんは、明るい朝顔柄の浴衣をビシッと着ている。それに反して、恭助さんはランニング姿だ。唯一おしゃれしてると思えるのは、肩にナイトを乗せてることかな？

「お店のほうはいいのかな？」

わたしがつぶやく。

「いいと思うよ。花火大会があるのに店を開けてても、お客さんなんか来やしないよ」

たしかに、内人の言うとおりだ。

声をかけようとするわたしを、内人が止める。

「さっき、レーチ君が言ってたじゃないか。デート中のカップルに声をかけるのは、失礼だよ」

すると、

「あら、そうなの？　ごめんなさいね、わたし声をかけちゃった」

肩のところで声がして、わたしはビクッとする。

――この声……。

振り向いたわたしたちの真後ろに、狐のお面が見える。夜店のときの記憶が、よみがえる。

「お久しぶり」

細い目のお面が、笑ったようだ。

内人の手が動く――いや、その前に、狐のお面が、その手を押さえた。内人は、身動きできない。

狐のお面の手は白くて細いのに、大型重機のようなパワーを持ってるみたいだ。

「暴れないでね、内藤君。あなたのことだから、いろいろ装備してるんでしょ？」

狐のお面が、背後から手を回し、内人のTシャツをまくった。見ると、ジーンズの腰の部分には、ベルトの代わりに革の紐が巻かれている。その紐の両端には、鉄の輪っかが結ばれている。

「内人……。あんた、ベルトも持ってないの？」

あきれるわたし。

狐のお面が、クックックと笑ってる。

「ボーラは、日本ではあまり知られてないのね」

それを聞いた内人は、きょとんとしている。

「ボーラっていうのか……。おばあちゃんに教えてもらった、ウサギ取りのわななんだけど」

「知らずに作っていたとは、さすがね」

次に、革紐にはさんである小さなスプレーや木の鞘に入ったナイフを取る。

「このスプレー、液体の中に入ってるのは唐辛子？　液体も、水じゃないわね」

「正解。ライターオイルだよ」

諦めたように、内人が言った。

「武器としていちばん使えそうなのは、このナイフね」

この言葉に、内人がムッとする。

「それは、武器じゃない。おばあちゃんからもらった道具だ」

よく手入れされたナイフ。狐のお面は、しばらくナイフを見た後、

「……ごめんね。道具なら、返すわ」

内人のジーンズのポケットにナイフを押しこんだ。

「さて、わかってると思うけど、暴れてもむだよ。できたら、おとなしくついてきてほしいわけ。ここで、あなたたち二人を眠らせるのは簡単だけど、両肩に担いで移動したら目立つでしょ？」

自信にあふれた口調で、狐のお面が言った。

今、わたしと内人のまわりを、たくさんの花火客が歩いていく。でも、誰一人、わたしたちが命の危険にさらされてるって知らないんでしょうね。

「さぁ、行きましょうか」

狐のお面が、わたしたちを押す。

それに逆らう手段は、ない。

そのとき、ヴーヴーヴーという着信音がした。

「あっ、ごめん！　なんか、ＬＩＮＥ入った」

狐のお面が、浴衣の袂からスマホを出す。画面をチラッとのぞくと、メッセージが見えたんだけど文字化けしてる。

それを狐のお面は読んでるんだけど……読めるの？

「あーっと……」

コリコリとほおをかく狐のお面。（お面のほおをかいても、仕方ないと思うんだけどな）

一つせき払いし、内人の腰に革の紐とスプレーを戻す。そして、近くの屋台でリンゴ飴やらクレープやら焼きトウモロコシやらを買ってきてくれた。

「ごめんね。なんか、状況が変わったみたい。ほんと、ごめん」

狐のお面が、ペコンと頭を下げる。

「上層部が、あなたたちを解放しろって言ってきたの。なんでも、時見連中の見てる未来に変化があったって――」

……言ってる意味が、わからない。

「で、これはおわび」

リンゴ飴やらクレープやらを渡してくれる。焼きトウモロコシを渡してくれなかったのは、自分で食べるつもりだろう。

「じゃましちゃったね。でも、この後は、ちゃんと花火を楽しんでね。もう会うこともないと思うけど、お二人仲よくね」

そして、優雅なしぐさで礼をした。その流れるような動きに、見惚れてしまう。

気がついたら、もう狐のお面はいなかった。

「なんだったんだろうね、あの人……」

わたしがつぶやく。

「さぁ……？」

内人が首をひねる。

大量の屋台フードを持ったわたしたちは、『狐につままれる』という言葉の意味がわかったような気がした。


だんだん人出が増え、ゆっくり花火を見ようにも難しくなってきた。

押し合いへし合いしながら、わたしは内人に言う。

「ねぇ、水源地に行こう」

「そうだな」

わたしたちは、人混みの中を泳ぐようにして水源地に向かう。

水源地があるのは、小高い山の中腹。M川を背にして、人の流れとは逆方向へ歩く。

いつの間にか住宅が少なくなり、果樹園が広がる。水源地へ行くには、この果樹園のわきから続く石段を登るんだけど、あまり知られていない。

苔むした石段を登る。

滑るんじゃないかなと思ったら、みごとに滑った。

だいたい、浴衣のときに履く下駄は、こういうときに滑りやすいんだよ——なんて思ってる余裕はなかった。

ヤバい！

この体勢で石段を転げ落ちたら、死ぬ恐れがある。

走馬灯を準備する覚悟をしたら——。

ガシッ！

転げ落ちる寸前で、わたしの体がストップする。内人が、わたしの腕をつかんでくれている。

「気をつけろよ、滑るぞ」

滑る前に、その注意をしてくれ。いや、その前に、お礼を言うのが先か。

「ありがとう、内人」

激しく脈打つ心臓。このドキドキは、死にそうになったから……？

内人は、まだわたしの腕を持っている。

花火が上がった。石段にいるわたしたちの、ほぼ正面の高さで、花火が開く。わたしたち二人を、五彩(ごさい)の光が照らす。

「…………」

内人が、わたしの腕(うで)を引っ張った。引き寄せられるわたし。

えっ、何、この展開！

ドキドキがピークになり、そろそろ心臓が破裂(はれつ)するんじゃないかと思ったとき、内人が口を開いた。

「誰(だれ)だ……おまえ？」


えーっと……。

わたしは、何も言えない。なんて言えばいいか、わからない。

内人が、わたしの腕を見る。

「幼稚園(ようちえん)のとき、二人でブランコの取り合いしたの覚えてるか？」

わたしは、うなずく。

「あのとき、令夢は手をけがしたよな？」

えっ？

元の世界では、けがをしたのは内人だ。そのときの傷は、今も内人の腕に残っている。

でも、この世界でけがをしたのは、わたしなの？　ということは、この世界のわたしの腕には、傷があるっていうことだ。

わたしは、自分の腕を見る。かなり日焼けしてるけど、傷はない。

「おまえは、誰だ？」

内人が、質問を繰り返す。

わたしは、静かに息を吐き、口を開く。

「スリップ現象……は、知ってるよね？」

花火が上がる。

――花火大会が終わるまでに、話せるかな？


内人が、石段に腰を下ろす。

わたしが座らないのを見ると、しばらく考えてから、ジーンズのポケットからハンカチを出して敷いてくれた。

わたしは、終業式の朝からの出来事を、ダイジェストで話す。

「つまり、令夢は、ほかの世界からスリップしてきたと……。前の世界では、おばさん――令夢のお母さんは亡くなってると」

一つ一つ確認する内人。

「でも、驚いたな。令夢がいた世界には、神様や仏様がいないんだ」

「いないっていうか……。夢水さんに言わせると、そういう概念を持ってないんだって」

「ガイネンを持ってないのか」

内人が、うんうんとうなずく。おそらく、意味はわかってないだろう。

「あと、創也がいないってのもビックリだ。あいつがいない世界か……平和だろうな」

そう言う内人が、少し寂しそう。

「それで、元の世界に戻るには、この世界で何かを解決したり成しとげたりしたらいいんだ?」

わたしは、うなずく。

「だったら、もう帰れるんじゃないか? 学校の落書きも商店街の落書きも、解決しただろ」

「でもまだ、校庭の落書きは解決してないよ」

「ああ、そうだった。サッカー部の芝原さんが、あんなことするはずないしな……」

内人が、腕を組む。

わたしは話題を変える。

「わたしさ……無理に戻りたくないんだ。っていうか、ずっと、この世界にいたいって思ってる」

「それは、創也がいるから？」

即座に、首を横に振る。このバカチンが！

わたしは、立ち上がる。

「帰ろう。そろそろ花火大会も終わるよ」

遠くから、「これから最後の大スターマインです」というアナウンスが聞こえる。


住宅街を、内人といっしょに歩く。

大スターマインの音が聞こえる。残念なことに、花火は家の屋根に遮られて見えない。

「夏休みも終わりね」

横にいる内人に言う。

「そうだな」

「この夏は、いろいろあったね」

「ありすぎるほどにな」

「明日からは二学期ね」

「ああ……」

「少しでも平均点以上の成績取りたいね」

「………」

今度は、返事がなかった。

少し早いけど、花火大会会場から帰ってくる人たちとすれちがう。

「あのさ……令夢」

内人が口を開く。どうも、わたしのことを『令夢』と呼ぶのをためらってるようだ。

「令夢が、この世界にスリップしたのはわかったんだけどさ──」

かなり間を置いて、内人が言う。

「この世界にいた令夢は、どこへ行ったんだ?」

「………」

なるほど、そういうことか。

わたしは、ため息を聞かれないように注意する。そして、内人の前に行くと、振り返る。

ど派手な大スターマインが終わった。少し間を置いて、盛大な拍手と歓声が聞こえてくる。花火大会が終わったんだ。

わたしは、口を開く。

「あのね、校庭に落書きしたの――それ、わたしなんだ」

あの日の夜――。

内人に送ってもらってから、わたしは学校に戻った。

創也君は、壁に描かれていた落書きの意味を解いている。このままでは、わたしは元の世界に戻らなくてはいけない。

だったら、謎を作ればいい。

そう思って、わたしは校庭に落書きを描いた。ラインカーを引っ張って走り回る、まったく意味のない落書き。誰にも、この謎は解けない。つまり、わたしは戻らなくてもいい。

家に帰ったら汗だく。おまけに遅くなったので、お母さんには怒られた。

その後、誰にも謎は解かれてない。

夢水さんや創也君は、わたしが描いたと気づいてるみたいだけど、黙っている。内人には、そこまでの推理力はない。わたしが話さなかったら、謎は謎のまま。元の世界に帰らなくてもいい。

でも……。

そういうわけにもいかないもんね。


いつの間にか、わたしの家の前――。

「送ってくれてありがとうね」

内人に、手を振る。

玄関のドアを開け、中へ入るとき、わたしは言う。

「あのさ――。明日の朝、内人の横に、わたしはいると思うけど、普通に接してよね」

「ああ、わかった」

笑顔の内人。それを目に焼き付けて、わたしは家に入る。

「おかえり、令夢。花火大会、どうだった?」

居間で、お母さんがアイロン仕事をしている。

「うん、楽しかったよ」

台所へ行って、冷蔵庫から麦茶のポットを出す。

「麦茶、飲む？」

お母さんにきく。返事を聞く前に、お母さんの分もコップに入れる。

「制服もアイロンしといたから、明日からもがんばってね」

お母さんが、ハンガーに掛けた制服を見せる。

「うん、わかった」

わたしは、笑顔で答えた。

浴衣を脱ぎ、クリーニングに出すものといっしょにかたづける。

「あら、自分でかたづけたの？　お母さん、してあげたのに――」

「大丈夫。わたし、もう中二だよ」

そう言ってから、お母さんを見る。写真ではわからなかったけど、ところどころに白髪が見える。

「何よ、令夢」

頭を押さえるお母さんに、わたしは言う。

「先にお風呂もらうね」

ENDING　また、谷屋令夢が目を覚ます

朝だ……。

枕元でやかましい電子音を放つ目覚まし時計を、バンと叩いて黙らせる。

「…………」

起きたくないという気持ちを、思いっきり蹴り上げて、ベッドから出る。

台所に行き、冷蔵庫を開ける。食パンを一枚出し、もふもふ食べながら、朝の準備。

――早起きして、制服にアイロンをかけたらよかったな……。

そんなふうに思わせるほど、ハンガーに掛けた制服は、皺が寄っている。

――まぁ、いっか。どうせ、誰もわたしの制服なんか気にしてない。

お父さんは、すでに会社に行ったようだ。流しに、洗ってない食器が置いてある。洗ってる暇はない。食器を水につけ、居間に置いてある、お母さんの写真に「いってきます」と言う。

朝なのに、太陽は異常に元気。学校へ行かなければという気持ちを、バキバキに折ってくる。

重い体を引きずるように歩いていると、電信柱の陰に、内人がうずくまっていた。

「おはよ、内人」

「ああ……」

内人が顔を上げて、わたしを見る。

わたしは、その背中を叩く。

「ほら、シャッキリしなよ。今日から二学期よ。元気出そう！」

半分は、自分に言い聞かせる。

「あれ？」

内人が、首をひねる。

「なんかさ……今日の令夢、様子がちがうね」

「そう？」

「うん。よくわかんないけど、ちがうよ」

まぁ、制服も皺だらけだし、仕方ないか。

わたしと内人は、学校に向かって歩き出す。

内人が、口を開く。

「あのさ……。なんて言ったらいいのか、さっきから考えてたんだけどさ――。今の令夢は、ぼくのよく知ってる令夢で、ホッとするよ」

なるほど。こっちの世界の内人も、異常な想像力や観察力を持っているんだ。わたしが気づいてなかっただけか。

反省するわたしに気づかず、話し続ける内人。

「ほら、最近の令夢って、ずっと気を張ってるみたいだったからさ。余裕がないっていうか――。でも今は、無理して明るく振る舞ってない気がする。うん、安心するよ」

内人が、わたしに笑顔を向ける。それは、よく知ってる笑顔。でも、どこか懐かしい感じがする……。

「内人――」

わたしは彼の笑顔を正面から見る。

「小説、書いてみない？」

〈FIN〉

あとがき

どうも、はやみねかおるです。『令夢の世界はスリップする』（書いているときの題名は『ごった煮』）、いかがだったでしょうか？

谷屋令夢を主人公に、今まで広げてきた風呂敷を畳み始めるときがやってきました。

☆

ぼくが書く物語――〝赤い夢の世界〟は、世界と時間軸を共有しています。

この世界では、サバイバル能力を持つ中学生や記憶力のない名探偵が暮らし、神出鬼没の怪盗も存在し、生活をサポートしてくれるのは超巨大総合企業の竜王グループです。

歴史的には、白亜紀末にはロロという名前の恐竜がいて、幕末には江戸城が消え、もう少しするとディリュージョン社が本に書かれた物語を現実世界に登場させてくれます。

現在のデータから類推し、〝確実に起こる未来〟を視る能力を持つ時見や未来屋もいます。

ぼくは、これまで、風呂敷を広げるように物語を書いてきました。

そして今、時見たちが、物語世界が終わる未来を視てしまいました。人類は醒めない夢を見る――彼らは、そう言っています。

というわけで、ぼくは風呂敷を畳むように、今まで広げてきた〝赤い夢の世界〟をまとめていきます。

人類がどうなるのか？　この〝赤い夢の世界〟がどうなるのか？　谷屋令夢を語り部に、書いていきたいと思います。どうか、よろしくおつきあいください。

☆

ここで、心配なことを一つ――。

それは、畳み始めたと思っていたのが、逆に風呂敷を広げてしまっているのではないかということです。部屋を片付けようとしたら、なぜか散らかってしまったということって、よくありますよね？　それと同じです。

今まで登場してきた、多くのキャラクター。とくに主人公クラスは、みんな一筋縄ではいかない連中です。作者が「さぁ、そろそろ風呂敷を畳むから、みんな協力してね」と、笑顔でお願いしたとき、素直に言うことを聞いてくれるかどうか……。逆に大暴れし始めたら、風呂敷は広がる一方になります。

やっぱり、最後は力業ですかね。……体を鍛えます。

最後に感謝の言葉を――。

担当の山室さん。いろんな登場人物が入り乱れる物語にOKを出してくださり、ありがとうございます。また、題名も考えてくださり、ありがとうございました。

昔の少年少女小説を思わせるカバー絵を描いてくださった緒賀さん。それぞれのキャラの描き分け、大変だったと思います。ありがとうございました。

それから、奥さんへ――。風呂敷を畳むには、かなり気力と体力がいります。すみませんが、サポートよろしくお願いします。

そして、読者の皆様。最後の最後まで、よろしくおつきあいください。

☆

さて、前奏曲は書き終えました。これから、いろんなシリーズを書き進めながら、「赤い夢へようこそ」のメイン物語を書いていきたいと思います。そして無事に後奏曲を書くことができるか、それともダ・カーポの記号がつくか――。それは、神の味噌汁。

というわけで、皆様は、次の物語を刮目して待っていてください。

では！
Good Night, And Have A Nice Dream!

『令夢の世界はスリップする』を、より楽しんでいただくために――

本書は、この本だけを読んでも楽しんでいただけるように書きましたが、下記の本もいっしょに読むと、さらに楽しんでいただけます。

『都会のトム＆ソーヤ』①⑦⑧、『そして五人がいなくなる』『少年名探偵 虹北恭助の冒険』『怪盗クイーンはサーカスがお好き』『オリエント急行とパンドラの匣』『怪盗クイーンからの予告状　怪盗クイーン エピソード0』『モナミは世界を終わらせる？』『ぼくと未来屋の夏』etc.

もちろん、「夢水清志郎」シリーズ、「虹北恭助」シリーズ、「モナミ」シリーズ、「都会のトム＆ソーヤ」シリーズ、「怪盗クイーン」シリーズをすべて読んでから本書を読むと、おもしろさは8倍増し（当社比）になります。

さらに、他のシリーズや、シリーズになっていない物語も読めば、おもしろさが64倍増し（当社比）になるのは確実です。

本書と、それぞれの物語世界のつながりが理解でき、さらに楽しめることでしょう。

それでは、はやみねが書いた物語をすべて読んでから『令夢の世界はスリップする』を読んだら、どうなるか？

おもしろさは、∞増し（当社比）になります。

ただ、健康や精神状態、経済状況などに支障が出る場合がありますので、自己責任でお願いします。

ここまでの文章が信用できない方用に、『だれにでもわかる、やさしい物語の楽しみ方入門』から、物語の楽しみ方を少し紹介します。

・ものすごくおいしいお菓子を食べながら読む。
・ものすごく楽しい映画を見ながら読む。
・ものすごく盛り上がるスポーツをプレイしながら読む。
・ものすごく話題になっているゲームをしながら読む。
・明日早起きなんかしなくていい夜――。思いっきり夜更かししても大丈夫な状態で、好きな本を枕元に積み上げて、眠くなるまで読む。

Good Night, And Have A Nice Dream!

（ΦωΦ）ﾌﾌﾌ…

はやみねかおる

【はやみねかおる　作品リスト】2020年7月現在

◆ 講談社青い鳥文庫

〈名探偵夢水清志郎シリーズ〉

『そして五人がいなくなる』1994年2月刊
『亡霊(ゴースト)は夜歩く』1994年12月刊
『消える総生島』1995年9月刊
『魔女の隠れ里』1996年10月刊
『踊る夜光怪人』1997年7月刊
『機巧館(からくりやかた)のかぞえ唄』1998年6月刊
『ギヤマン壺の謎』1999年7月刊
『徳利長屋(とっくりながや)の怪』1999年11月刊
『人形は笑わない』2001年8月刊
『「ミステリーの館」へ、ようこそ』2002年8月刊
『あやかし修学旅行 —鵺(ぬえ)のなく夜—』2003年7月刊
『笛吹き男とサクセス塾の秘密』2004年12月刊
『ハワイ幽霊城の謎』2006年9月刊
『卒業 〜開かずの教室を開けるとき〜』2009年3月刊
『名探偵VS.怪人幻影師』2011年2月刊
『名探偵VS.学校の七不思議』2012年8月刊
『名探偵と封じられた秘宝』2014年11月刊

〈怪盗クイーンシリーズ〉

『怪盗クイーンはサーカスがお好き』2002年3月刊
『怪盗クイーンの優雅な休暇(バカンス)』2003年4月刊
『怪盗クイーンと魔窟王の対決』2004年5月刊
『オリエント急行とパンドラの匣(ケース)』2005年7月刊
『怪盗クイーン、仮面舞踏会にて —ピラミッドキャップの謎　前編—』2008年2月刊
『怪盗クイーンに月の砂漠を —ピラミッドキャップの謎　後編—』2008年5月刊
『怪盗クイーン、かぐや姫は夢を見る』2011年10月刊
『怪盗クイーンと悪魔の錬金術師 —バースディパーティ　前編—』2013年7月刊
『怪盗クイーンと魔界の陰陽師 —バースディパーティ　後編—』2014年4月刊
『怪盗クイーン　ブラッククイーンは微笑まない』2016年7月刊
『怪盗クイーン　ケニアの大地に立つ』2017年9月刊
『怪盗クイーン　ニースの休日 —アナミナティの祝祭　前編—』2019年7月刊
『怪盗クイーン　モナコの決戦 —アナミナティの祝祭　後編—』2019年8月刊
『怪盗クイーン 公式ファンブック 一週間でわかる怪盗の美学』2013年10月刊

〈大中小探偵クラブシリーズ〉

『大中小探偵クラブ —神の目をもつ名探偵、誕生！—』2015 年 9 月刊

『大中小探偵クラブ —鬼腕村の殺ミイラ事件—』2016 年 3 月刊

『大中小探偵クラブ —猫又家埋蔵金の謎—』2017 年 1 月刊

『バイバイ スクール 学校の七不思議事件』1996 年 2 月刊

『怪盗道化師』2002 年 4 月刊

『オタカラウォーズ　迷路の町のＵＦＯ事件』2006 年 2 月刊

『少年名探偵 WHO —透明人間事件—』2008 年 7 月刊

『少年名探偵　虹北恭助の冒険』2011 年 4 月刊

『ぼくと未来屋の夏』2013 年 6 月刊

『恐竜がくれた夏休み』2014 年 8 月刊

『復活!!　虹北学園文芸部』2015 年 4 月刊

『打順未定、ポジションは駄菓子屋前』2018 年 6 月刊

◆ 青い鳥文庫　短編集ほか

「怪盗クイーンからの予告状」

　(『いつも心に好奇心！』収録) 2000 年 9 月刊

「出逢い＋1」

　(『おもしろい話が読みたい！ 白虎編』収録) 2005 年 7 月刊

「少年名探偵 WHO —魔神降臨事件—」

　(『あなたに贈る物語』収録) 2006 年 11 月刊

「怪盗クイーン外伝 初楼 —前史—」

　(『おもしろい話が読みたい！ ワンダー編』収録) 2010 年 6 月刊

『はやみねかおる公式ファンブック　赤い夢の館へ、ようこそ。』2015 年 12 月刊

◆ 講談社文庫

『そして五人がいなくなる』2006 年 7 月刊

『亡霊は夜歩く』2007 年 1 月刊

『消える総生島』2007 年 7 月刊

『魔女の隠れ里』2008 年 1 月刊

『踊る夜光怪人』2008 年 7 月刊

『機巧館のかぞえ唄』2009 年 1 月刊

『ギヤマン壺の謎』2009 年 7 月刊

『徳利長屋の怪』2010 年 1 月刊

『赤い夢の迷宮』(作／勇嶺薫) 2010 年 5 月刊

『都会のトム＆ソーヤ』①〜⑩ 2012 年9月刊〜

◆ 講談社BOX

『名探偵夢水清志郎事件ノート そして五人がいなくなる』
　　2008年1月刊（漫画／箸井地図（はしいちず））
『少年名探偵　虹北恭助の冒険　高校編』
　　2008年4月刊（漫画／やまさきもへじ）

◆ 講談社　YA! ENTERTAINMENT

『都会（まち）のトム＆ソーヤ　①』2003年10月刊
『都会のトム＆ソーヤ　②乱（らん）！ RUN（ラン）！ ラン！』2004年7月刊
『都会のトム＆ソーヤ　③いつになったら作戦（ミッション）終了？』2005年4月刊
『都会のトム＆ソーヤ　④四重奏（カルテット）』2006年4月刊
『都会のトム＆ソーヤ　⑤IN（イン）塀戸（VADE）』（上・下）2007年7月刊
『都会のトム＆ソーヤ　⑥ぼくの家へおいで』2008年9月刊
『都会のトム＆ソーヤ　⑦怪人は夢に舞う＜理論編＞』2009年11月刊
『都会のトム＆ソーヤ　⑧怪人は夢に舞う＜実践編＞』2010年9月刊
『都会のトム＆ソーヤ　⑨前夜祭（イブ）＜内人side＞』2011年11月刊
『都会のトム＆ソーヤ　⑩前夜祭（イブ）＜創也side＞』2012年2月刊
『都会のトム＆ソーヤ　⑪DOUBLE（ダブル）』（上・下）2013年8月刊
『都会のトム＆ソーヤ　⑫IN THE（インザ）ナイト』2015年3月刊
『都会のトム＆ソーヤ　⑬黒須島（くろすとう）クローズド』2015年11月刊
『都会のトム＆ソーヤ　⑭夢幻（むげん）』（上）2016年11月刊，（下）2017年2月刊
『都会のトム＆ソーヤ　⑮エアポケット』2018年3月刊
『都会のトム＆ソーヤ　⑯スパイシティ』2019年2月刊
『都会のトム＆ソーヤ外伝　⑯.5魔女が微笑む夜』2020年3月刊
『都会のトム＆ソーヤ完全ガイド』2009年4月刊
「打順未定、ポジションは駄菓子屋前」
　　（『YA! アンソロジー 友情リアル』収録）2009年9月刊
「打順未定、ポジションは駄菓子屋前、契約は未更改」
　　（『YA! アンソロジー エール』収録）2013年9月刊
『都会のトム＆ソーヤ　ゲーム・ブック　修学旅行においで』2012年8月刊
『都会のトム＆ソーヤ　ゲーム・ブック　「館（やかた）」からの脱出』2013年11月刊

◆ 講談社ノベルス

〈少年名探偵　虹北恭助シリーズ〉
『少年名探偵　虹北恭助の冒険』2000年7月刊
『少年名探偵　虹北恭助の新冒険』2002年11月刊
『少年名探偵　虹北恭助の新・新冒険』2002年11月刊

『少年名探偵　虹北恭助のハイスクール☆アドベンチャー』2004年11月刊
『少年名探偵　虹北恭助の冒険　フランス陽炎村事件』2009年8月刊
『赤い夢の迷宮』（作／勇嶺薫）2007年5月刊
『ぼくと未来屋の夏』2010年7月刊

◆ 講談社タイガ

『ディリュージョン社の提供でお送りします』2017年4月刊
『メタブックはイメージです　ディリュージョン社の提供でお送りします』2018年7月刊
「思い出の館のショウシツ」
　　（『謎の館へようこそ 黒』収録）2017年10月刊

◆ ＫＣ（コミックス）

『名探偵夢水清志郎事件ノート』①〜⑪
　　2004年12月刊 〜（漫画／えぬえけい）
『名探偵夢水清志郎事件ノート「ミステリーの館」へ、ようこそ』（前編・後編）
　　2013年3月刊（漫画／えぬえけい）
『都会のトム＆ソーヤ』①〜③
　　2016年6月刊 〜（漫画／フクシマハルカ）

◆ 単行本

講談社ミステリーランド『ぼくと未来屋の夏』2003年10月刊
『ぼくらの先生！』2008年10月刊
『恐竜がくれた夏休み』2009年5月刊
『復活!!　虹北学園文芸部』2009年7月刊
『帰天城（かえりそらじょう）の謎 —TRICK（トリック） 青春版—』2010年5月刊
『４月のおはなし　ドキドキ新学期』（絵／田中六大）2013年2月刊
『怪盗クイーンからの予告状　怪盗クイーン エピソード０』2020年5月刊

著者紹介
はやみねかおる

1964年、三重県に生まれる。三重大学教育学部を卒業後、小学校の教師となり、クラスの本ぎらいの子どもたちを夢中にさせる本をさがすうちに、みずから書きはじめる。「怪盗道化師（ピエロ）」で第30回講談社児童文学新人賞に入選。〈名探偵夢水清志郎事件ノート〉〈怪盗クイーン〉〈大中小探偵クラブ〉〈YA! ENTERTAINMENT「都会（まち）のトム＆ソーヤ」〉〈少年名探偵虹北恭助の冒険〉などのシリーズのほか、『バイバイ　スクール』『ぼくと未来屋の夏』『復活!!　虹北学園文芸部』『帰天城（かえりそらじょう）の謎　TRICK　青春版』（以上すべて講談社）などの作品がある。

この作品は、書き下ろしです。

令夢（れむ）の世界（せかい）はスリップする
赤（あか）い夢（ゆめ）へようこそ　―前奏曲（ぜんそうきょく）―

2020年7月20日　第1刷発行

著　者／はやみねかおる
発行者／渡瀬昌彦
発行所／株式会社　講談社

〒112-8001　東京都文京区音羽2-12-21
電話　編集　03-5395-3536
販売　03-5395-3625
業務　03-5395-3615
N.D.C.913　302p　20cm
印刷所／豊国印刷株式会社
製本所／大口製本印刷株式会社
本文データ制作／講談社デジタル製作

ISBN978-4-06-520256-2